D1108508

DERNIÈRES NOUVELLES DE L'ÉTÉ

Ouvrage publié avec le concours
de l'Institut français de coopération.

ISBN 9973-58-000-1

Ali Bécheur
Hélé Béji
Tahar Bekri
Colette Fellous
Alain Nadaud

DERNIÈRES NOUVELLES DE L'ÉTÉ

elyzad

Ali Bécheur

UNE SAISON VIOLENTE

Sidi Bou Saïd, vue sur la baie de Tunis

Voici que vient l'été la saison violente
Et ma jeunesse est morte ainsi que le printemps.

GUILLAUME APOLLINAIRE, *La jolie rousse.*

Je pousse mon chariot parmi les amoncellements de bagages. La mécanique des gestes, identique à chaque voyage. La pression des doigts sur la barre, la tension du poignet, la raideur du bras qui s'arrime à la jointure de l'épaule. Je me dis que je dois avoir le même air un peu ahuri de ceux qui, avec moi, débarquent.

L'atterrissage, le piaffement au long de la travée encombrée de sacs, de mallettes, de poches débordant de bouteilles d'alcool, de cartouches de cigarettes, de boîtes de parfum, de cigares. Chercher la plus courte des files piétinant devant les guichets de la police des frontières. Les portiques qui stridulent. Les trappes avalant les bagages à main. Les chariots en arrêt devant le tapis qui déroule les sinuosités de ses écailles, les yeux braqués sur la reptation des valises, sacs, cartons bardés de scotch, une poussette, quelquefois, un paquet ficelé.

Enfin je reconnais la mienne qui bringuebale, la saisis au passage. La rotation du buste basculé à l'avant, l'épaule basse, je l'arrache au mouvement, la hisse sur le plateau, l'épaule remonte, elle penche sur le côté, je l'équilibre du pied.

Dans le hall un foisonnement d'écriteaux d'agences de voyage, des logos, mes yeux courent de l'un à l'autre à travers la foule, là, j'ai trouvé. Un groupe s'est agglutiné autour de l'hôtesse portant son panonceau à bout de bras, attendez ici, le car ne va pas tarder, ne vous dispersez pas s'il vous plaît, nous partirons dès que les autres seront arrivés. Moi, au milieu d'eux, déguisé en touriste. Je savoure l'ironie de la situation.

Le sol dallé de marbre, les murs creusés de niches en ogive pour la note orientale, des plantes vertes (artificielles ?) y grimpent, sinon rien de spécial, aérogare standard, un café dans un coin, des sifflements de percolateur, les habituels bureaux de change, d'agences de voyage, de location de voitures, les comptoirs de compagnies aériennes, les voix grésillant à travers les haut-parleurs, une rumeur confuse de partances, d'arrivées, des adieux, des embrassades.

Ils ont des appareils photo autour du cou,

des caméscopes, des bananes autour de la taille, des tee-shirts, des bobs, déjà prêts à piquer une tête dans la grande bleue, moi non, je dois faire tache, je me dis, avec mon costume gris, ma chemise blanche et mes chaussures noires. Non, juste quelques souvenirs nébuleux dont les couleurs sont passées depuis beau temps, les odeurs éventées, s'acharnant à chercher de minuscules vestiges de réalité où s'accrocher. Mollusques en quête d'un trou d'eau pour se réfugier, ou nourrisson cherchant un sein où s'endormir.

Dès que la porte coulissante s'est ouverte, on m'a jeté une couverture chauffante sur les épaules. Le ciel est d'un blanc de métal, je baisse les yeux. À force de clarté, on finit par ne plus y voir clair. J'ai laissé Paris sous un plafond de nuages bas, un vent frisquet frôlant les façades, les devantures. J'ai oublié cette dévoration des couleurs, cette réverbération. Le car est climatisé, encore heureux.

Je ne t'enverrai pas de carte postale, c'est promis. On fait une pause, as-tu dit. J'ai répondu d'accord. On prend un peu de recul, on se ménage une distance, depuis tout ce temps qu'on était comme cul et chemise toi et moi, peau contre peau, yeux dans les yeux, bouche à bouche. À force d'avoir le nez dans cette histoire, *notre* histoire, on devait finir par ne plus rien voir, c'était couru. Voir où ça nous menait, tout ça. Ce qu'on était devenus, toi et moi, dans tout ça. Un jour on était partis pleins d'étonnement, d'enthousiasme, de passion, un vrai conte de fées pour les grands. Et maintenant ?

À la Rhumerie j'avais commandé un *mojito* (j'étais revenu de La Havane la tête farcie de rumbas) manque de pot il n'y avait plus de menthe, je me suis rabattu sur un cocktail de fruits. C'était bondé. Quelqu'un m'a demandé si la chaise, là, était libre, oui, bien sûr, j'en ai retiré mon manteau. Merci, tu t'assieds, une odeur de laine mouillée s'exhale de toi, tu regardes ailleurs, à travers le vitrage, les passants sur le boulevard, je suppose. Impers, parkas, cache-cols. Les enseignes, les autos, je suppose.

Je n'aurais pas parié un euro sur une histoire qui commencerait comme ça. Comme quoi. Un écart donc creusé entre toi et moi, quand ce soir-là, à la Rhumerie, on avait commencé à la grignoter, cette distance, chacun de son côté, deux étrangers regardant chacun dans une direction, d'abord grâce à la cigarette que tu as tirée de ton sac et que j'ai allumée avec mon briquet, parce que tu n'avais pas de feu et que j'étais là.

Et maintenant, sous ce soleil qui, sans trêve, mange l'espace, qui me fait venir les larmes aux yeux rien qu'à regarder la route à travers le pare-brise du car, une coulée de lave, foncer vers nous. Des décennies de lumière d'Ile-de-France m'ont affaibli le regard, des automnes de feuilles roussies, des avenues d'arbres dénudés grelottant sous le givre. Ma peau aussi a pâli et ma mémoire. Vieillir, c'est pâlir aussi, peut-être, les choses se délavent, l'iris des yeux, les souvenirs s'évaporent, les projets prennent l'eau.

J'ai pris un forfait Paris-Paris. Ce voyage c'est juste une parenthèse, ouverte et dans deux semaines refermée dans ma vie, une toute petite parenthèse. Toi tu restes à Paris ou alors tu vas à Belle-Ile, tu ne sais pas trop. Ou tu ne veux pas me dire, me signifiant par là que ce n'est pas mon affaire, que tu ne te sens pas tenue de m'informer de tes déplacements, allez bon voyage, ne t'inquiète pas pour moi, c'est pas mal de mettre cette paire de milliers de kilomètres entre nous. Juste la bonne distance, ni trop loin ni trop près. Juste ce qu'il faut pour prendre un peu de jour, se hisser vers la lumière, les plantes intriquées les unes aux autres finissent toujours par s'étioler. Un peu d'air, quoi. Sinon, on suffoque.

Et donc je suis parti. Façon de dire bon, si c'est ça que tu veux, d'accord. Cette distance, c'était devenu notre actualité dès que le printemps avait glissé dans ce simulacre d'été. Bourrasques, giboulées, éclaircies moites, *Ô nuées accourues des côtes de la Manche, vous nous avez gâté notre dernier dimanche*, quand, avant, il ne s'agissait que d'amour.

D'amour, oui, toujours et encore, au menu de tous les jours, de toutes les nuits. Quand nous lisions sous le lampadaire du séjour, tes cheveux étalés en auréole sur mes genoux. Quand nous écoutions de la musique, quand nous sortions, au cinéma, au concert, au théâtre, de quoi s'agissait-il alors, sinon d'amour ? Sinon que tu glissais ta main dans ma paume, que tu posais ta tête sur mon épaule, comme ça, légèrement, comme on pose un cadeau sous la serviette, à côté de l'assiette, dans le noir et moi prenant ton odeur en pleine poire, l'odeur de tes cheveux, l'odeur de ta peau, l'odeur de ton cou, mêlées, la respirant à pleins poumons dans la complicité de cette obscurité indécise des salles de spectacle, cette odeur qui nous isolait des autres, des ombres tout autour de nous enfoncées dans leur fauteuil, nos genoux s'étayant l'un l'autre, ma main traînant sur ta cuisse, le lisse, la tiédeur de ta chair à travers le tissu, c'était quoi ça, dis ?, sinon de l'amour, du partage d'amour, la circulation de la sève entre les branches d'un même arbre. Un complot, une conjuration. Si ce n'est pas ça, alors c'est quoi l'amour ? Tout ça pour, au bout du compte que tu me dises pars, tu as besoin de repos (me reposer de qui, de quoi, de toi ?), prends des vacances. Tu n'as pas dit loin de moi, mais ça allait sans dire.

Et je suis venu ici. J'ai pensé que pour me retrouver il fallait revenir d'où j'étais parti. Voilà, ça avait la cohérence, la plénitude d'une boucle bouclée. Il restait juste à parcourir un petit arc et le cercle se fermait. Le point d'arrivée touche au point de départ, un circuit. Au fond la vie, c'est d'une simplicité à faire pleurer, c'est tout rond, reste seulement à savoir ce qu'on a mis dedans.

D'une simplicité enfantine. Après la Rhumerie, on a été chez toi, naturellement, même pas eu besoin d'en parler, ça semblait tellement naturel de ne pas se quitter, pas rompre le cercle où nous nous étions inscrits sans même y penser, c'était si évident que tout ce qu'il y avait à faire c'était de nous lever et de partir ensemble sans même nous être effleurés du bout du doigt. Nous savions déjà qu'on allait se toucher, ce n'était pas urgent, mais pas tout de suite, on avait le temps, tout le temps, puisqu'on avait la nuit entière dans la lumière des réverbères et au-delà, on ne savait pas.

Quand on s'est réveillés il était midi ou presque, tu as dit super on va pouvoir passer à table, j'ai une de ces fringales, tu aimes les cannelloni ?, t'as intérêt, il n'y a rien d'autre. J'ai répondu j'adore les cannelloni et après, je ne sais pas pourquoi, je t'aime, parce que j'avais faim comme jamais, moi aussi, peut-être, que le lit sentait la chair brûlante et que chaque centimètre de ta peau était un centimètre de douceur. Nu, ton corps en mouvement m'a paru aussi émouvant que ton corps offert, tu es sortie de la chambre sans rien dire, mais qui ne dit mot consent, je me suis dit.

Après la Rhumerie, on s'est aimés partout. Sur le lit, sur la moquette, sur le canapé du séjour, dans la salle de bain, sous la douche et même dans la cuisine, toi penchée sur le plan de travail et moi te piochant dans des vapeurs de casserole. Le désir marque son territoire en y célébrant ses liturgies. C'est ainsi qu'on en est venu à parler d'amour, malgré mes scrupules.

Scrupules sémantiques, on va dire. Les mots, parfois, tu les prends en plein cœur, comme une balle perdue ou un infarctus. Mais tu n'en meurs pas, à la longue ça ne fait même plus mal, ça se galvaude, tu fais avec. Alors s'il faut se disjoindre, s'éloigner l'un de l'autre, autant mettre la géographie de son côté. Tu prends la Méditerranée au creux de tes paumes et la poses bien au milieu sur la table basse, voilà, tu es contente ? L'histoire suivra toujours. On s'extasie sur les fleurs, les couleurs, le parfum, mais après il faut descendre jusqu'aux racines. Fouiller la terre, enfoncer les mains dans l'humus, l'humide, le gluant, la répugnance des vers grouillant entre les doigts. Un jour ou l'autre, il faut revenir dans le ventre de sa mère.

Il y a dans ce ciel quelque chose d'implacable, de vengeur. L'idée d'un châtiment. Tu le sens bien qu'il s'obstine à tout brûler, l'herbe, les arbres, les cailloux, des crevasses meurtrissent la peau de la terre, des craquelures, l'asphalte fond sur le bord des routes, l'air sent la fièvre, les grillons ne cessent de scier. Un acharnement à tout carboniser. Et toi avec. Toi surtout, il veut te réduire en cendre, tu le sens bien. Te punir d'être revenu. Ou d'être parti ?

On s'abrite sous des paillotes, des parasols, on s'enduit d'huile, de crème. La plage rissole, l'eau à peine ridée sous le zénith qui n'en finit pas de décrire sa courbe incendiaire. On dira ce qu'on voudra mais la vie d'hôtel présente les avantages d'une existence de fonctionnaire, la sécurité, la régularité. On mange trois fois par jour, entre-temps on expédie les affaires courantes, le bronzage, la baignade, un petit tour de pédalo ou de parachute ascensionnel, la piscine (les enfants en raffolent) et, après dîner, l'animation, danses folkloriques (dites telles), élection de miss, bingo et allez au dodo. Le lendemain pareil.

C'est bien, c'est reposant, ça te purge la cervelle. Une vidange de l'âme. Des choses comme ça qui partent avec l'huile usée, des rendez-vous dans des bistrots, des conversations sans fin à la sortie du ciné, des fatigues de dernier métro. Les châteaux de la Loire qu'on s'était offerts l'été dernier, l'ombre fraîche des forêts de Touraine qu'on avait traversées, les haltes dans des auberges. Il pleuvinait à Chambord, mais sur Chenonceaux l'air était translucide, les tourelles s'y découpaient gravées à la pointe sèche, dans les jardins de Diane de Poitiers nous nous sommes assis sur un banc au bord du Cher, tu as appuyé ton épaule contre moi comme au bon vieux temps, qu'est-ce que ça voulait dire, sinon on fait une bonne équipe tous les deux, on va s'accrocher, dans le langage des amants qui n'a pas besoin de mots.

Car amants nous l'étions encore. Je me souviens d'une nuit, ou d'un petit matin. Le lit brûle, une chaleur intense me tire du sommeil, tu dors en chien de fusil, j'effleure ton épaule, tes cheveux, ta nuque, une touffeur de forêt tropicale en irradie, au centre de ton corps s'épanouit une rose de braise. Alors les gestes de l'amour sont des gestes de survie. Une incursion aux confins de la vie et de la mort, là où elles interfèrent, mêlent leurs halètements et leurs râles, on ne sait plus où on est, encore dans l'une ou déjà dans l'autre.

C'est après que ça s'est gâté.

Ce siècle sécrète la modernité comme les multinationales sécrètent des dividendes. Évidemment je ne reconnaissais plus rien dans cette ville que j'avais quittée depuis des lustres. J'avais beau sillonner les rues, les places, la promenade du front de mer, les venelles de la médina, plus un seul terrain vague où nous jouions au foot. Sur les décombres de ma mémoire on avait construit des batteries de H.L.M., des barres d'immeubles, des cités, de nouveaux quartiers là où s'alignaient des enfilades d'oliviers. Une riviéra. À l'encolure de la mer on avait serré un garrot d'hôtels. Je pouvais toujours me débattre j'étais pris dans la nasse. Ma mémoire gisait sous le béton, une dalle funéraire puisqu'elle était morte et enterrée, bel et bien. Mes copains envolés, les cafés où nous refaisions le monde sans en rien connaître, c'était maintenant des agences de banque ou de location de voitures, des fast food, des pizzerias, des boutiques d'informatique, de téléphonie mobile. L'évangile selon Saint-Gadget. Une mémoire qui ne trouve plus rien où s'accrocher, plus un pan de mur, plus un coin de plage, plus un banc dans un jardin public, plus un arbre au bord du chemin qui menait au lycée, cette mémoire se nécrose comme une peau brûlée. Se recroqueville, s'effrite, tombe en poussière. Je marchais sur les cendres de ma jeunesse.

Le monde change. Moi pas, c'est ça mon problème. La nostalgie est un sentiment facile, mais dangereux. Il manifeste une disposition à l'inadaptation, les dinosaures en sont morts, dit-on. J'en mourrai peut-être, errant à travers le dédale de ce qui n'est plus que le vieux film tout charbonneux qui tournait dans ma tête. *Mais où sont les neiges d'antan*, les étés d'antan ? Le soleil les a bus, comme ceux-là qui, avec une paille, avalent leur ration de coca-cola sous les ombrelles, la peau braisée, avant de remonter dans leur car.

Qu'est-ce qui a bien pu nous arriver ? Après la Loire, la Seine, Saint-Germain-des-Prés, les cafés, les galeries, les quais. Les feuilles se cuivraient au Luxembourg, roussissaient, lévitaient un instant avant de tomber en piqué. On ressortait les impers qui sentaient la naphtaline. Ils s'imprégnaient de bruine, des flocons de coton sale voyageaient dans le ciel.

Le désir est un animal à métamorphoses. C'est un lézard, il a besoin de soleil, de fêtes, d'agapes, à la première gelée, il hiberne, se tapit au creux d'une anfractuosité et s'endort. C'est une salamandre qui crache le feu, habitant au cœur incandescent des entrailles. C'est une licorne galopant dans les contrées de l'imaginaire, rôdant à la frontière des rêves, se nourrissant de fantasmes. La réalité est trop étriquée, trop banale, il lui faut des espaces illimités, des débordements, des transgressions, l'excès.

Un jour, il meurt. D'épuisement. Pas d'un coup, bien sûr, quelques sursauts encore, quelques flambées, des intermittences de passion. Mais l'état de grâce est passé. Les caresses s'usent, les baisers s'exténuent avant d'arriver aux lèvres. La température baisse degré après degré, on vivait nus, voilà qu'on se couvre de dessous, de chemises de nuit, de pyjamas, de lainages qu'on cesse d'arracher, de jeter en vrac à travers l'appartement. On ne parle plus d'amour. Plus de choses tendres. On jette des regards en coulisse, mi-apitoyés mi-envieux, aux couples enlacés, sur les bancs, au café, au cinéma. Voici venir le temps de la tiédeur déguisée en tendresse, des soirées silencieuses devant la télé et, pour le meubler, ce silence-là, cet abîme qui se creusait entre nous, des commentaires sur l'actualité, du ressassement des soucis professionnels, tu sais Untel a dit que... Unetelle tortille du croupion dès qu'elle aperçoit le boss... L'autre qui... L'autre encore que... Et toi raconte, qu'est-ce que tu as fait de ta journée ?

Au fil du temps, des habitudes s'ancrent, des rites, un règlement intérieur s'instaure. Ne marche pas sur la moquette, on voit bien que ce n'est pas toi qui passes l'aspirateur. Le rond de serviette posé sur l'assiette. N'oublie pas le pain. Passe chez le Tunisien, il n'y a plus de yaourts. Non, pas ce soir, je suis vanné(e). De l'espace s'insinue entre les corps, chacun s'enferme dans le sommeil comme dans une forteresse. La conscience du *je* prend une éclatante revanche, elle n'a pas le triomphe modeste.

Un soir, ça commence à sentir les vacances, sur l'écran défilent des filles nues ou presque, bronzées aux UV, des gamins folâtrant sur le sable, la mer en arrière-plan, des cocotiers se découpant à contre-jour sur un crépuscule d'opérette. Qu'est-ce qu'on fait pour l'été ? Un silence, puis je ne sais pas trop... Un peu plus tard, t'inquiète pas pour moi, fais comme tu sens. Comme je sens ? Ben oui, fais tes projets de ton côté. Ah bon. Écoute, il n'y a pas de raison de te faire supporter mes incertitudes, mes hésitations. J'irai peut-être voir ma mère dans le Lot, il y a longtemps que... J'en sais rien, en fait, je suis en plein flou... Et toi, de quoi as-tu envie ? La Sicile ? L'Andalousie, tu me rebattais les oreilles de Cordoue, de Séville... Non ? Franchement, je crois que ça ne nous ferait pas de mal de prendre un peu de recul, tu ne penses pas ? Juste pour réfléchir un peu, faire le point. D'accord ?

J'ai levé les yeux et je les ai vus. Lui, un type haut et décharné, des lunettes sans monture sur une figure osseuse, costume neutre et elle, à son côté, cherchant des yeux, quoi ? Une table libre ?, des amis ? Dans ce bourdonnement d'essaim, ils sont venus se réfugier ici à cause de la climatisation, je suppose. Elle, une génération de plus et quelques kilos en trop. Comme moi, forcément. Son regard, c'est à ça que je l'ai reconnue. Bien sûr il lui mangeait moins le visage qui s'était empâté et puis, bien sûr, les valises alourdissant les paupières, le poids de la vie. Mais c'était le même regard, immense.

Dans le car, il m'avait dévoré. Assise de l'autre côté de la travée, engagée dans une conversation animée avec sa copine. Soudain ses yeux de gazelle. Jusqu'à Kerkouane, je ne cesse de l'épier à la dérobée, feignant de parler foot, cinéma avec Mounir. La veille on avait projeté *I Vitelloni* au ciné-club du lycée.

Des pans de mur ocre sortant de la terre ocre, ce qui restait d'un comptoir phénicien accroupi au bord de la mer. Indigo, la mer. C'est ça qui les faisait courir, les Phéniciens, la mer, caboter le long des côtes, se laisser porter par le courant, semer des comptoirs comme on sème des cailloux, pour se repérer. Utique, Carthage, Kerkouane, Hadrumète, cap plein sud, un collier de verroterie. C'est ça qu'ils aimaient, les bateaux et les ports, le vent du large, les tavernes obscures, le vin fort et sucré, le reste ne les intéressait pas.

Au centre du cercle des élèves, le prof évoquait Amilcar, Hannibal, nos épaules se frôlaient. Du bout du doigt, elle trace sur le sable le signe de Tanit, un cercle en guise de tête, un triangle pour le corps, deux bras levés vers le ciel. La femme, qui prend et qui donne. On ne conquiert que ce qui nous a conquis.

On se retrouvait au ciné-club. Nos mains se sont cherchées, prises au milieu de *L'ombre d'un doute*, quand Joseph Cotten embrasse Olivia De Havilland. Au jardin public, on se réfugiait sur un banc à l'écart, loin du bassin où jouaient des gamins, des mères promenaient leurs enfants dans des landaus. Ses yeux inquiets comme ceux des oiseaux, scrutant l'allée de ficus, relâchant sa vigilance juste le temps de ployer la tête sur mon épaule, l'odeur de ses cheveux, le soyeux de sa joue, ma bouche avide effleurant la commissure de ses lèvres. Quelques secondes à peine, jamais plus, un concentré d'amour.

Elle partait toujours la première, sa silhouette s'amoindrissait au détour d'un bouquet de lauriers, j'allumais une de mes premières cigarettes.

J'ai déguerpi sans même vider mon verre. Nous nous étions baignés sur cette plage, mais ce n'était plus la même plage, juste une lisière de sable où il se tassait, des langues d'écume ne cessant de le laper, où venait battre le cœur de la mer, et maintenant une débauche d'architectures disparates, un panoramique de bâtiments, d'arches, de portiques, de balustrades en bois tourné, de loggias suspendues, de balcons à pilastres, d'auvents en tuiles romaines, de piscines cernées de terrasses, de pelouses, transats, tables et chaises en plastique, parasols criant des marques de soda, pédalos échoués là où nous entrions dans la vague, une gifle de fraîcheur sur le corps embrasé. Il suffit d'un nouveau décor et le monde est changé.

Nous nous sommes quittés en octobre, sous le soleil des grenades. À Paris les arbres se dépouillaient. Je pensais à elle dans le bistrot de la rue Soufflot. Je pensais à elle dans le Resto U de la rue Mabillon, entre deux rabs de frites. Je pensais à elle dans les cinés de la rue Champollion. Je pensais à elle, longtemps, dans le lit étroit de ma chambre de bonne du sixième sans ascenseur. Je lui écrivais chez Colette, son amie intime, une enveloppe glissée dans une autre, je ne t'ai pas oubliée, un leitmotiv. En mai, j'ai attendu en vain une réponse. À la bibliothèque Sainte-Geneviève je bûchais d'arrache-pied, les examens approchaient à grands pas. Fin juin j'étais de retour.

Quand je m'enquérais d'elle, mes copains détournaient les yeux. Je rôdais autour de sa maison, me haussais sur la pointe des pieds pour jeter un œil furtif à travers la grille du jardin, faisais une fois encore le tour du pâté de maisons, rasant les murs, un nœud serré au creux de l'estomac.

Je les ai vus arriver en fin d'après-midi. Un convoi de voitures débouche du coin de la rue dans un vacarme de klaxons. Ils en descendent les bras chargés de paniers capitonnés, les hommes sur leur trente et un et les femmes soulevant leurs *foutas* brodées, damassées, lamées, les gamins endimanchés, les servantes encombrées de plateaux de pâtisseries, de friandises, quelques youyous fusent sur le trottoir. La grille s'ouvre à deux battants.

On ne m'avait pas invité à son *kitban zdaq*. Je me suis dit c'est peut-être sa sœur qui se fiance. Pour aussitôt me souvenir qu'elle était enfant unique.

Un chagrin d'amour m'avait fait partir, un chagrin d'amour m'a fait revenir. La vie c'est comme ça, entre deux chagrins.

Passé la police des frontières, on entre dans une zone neutre. Un hiatus entre deux pays, entre deux mondes, entre deux vies. L'une s'achève, l'autre n'a pas encore commencé. Celle de ton absence. Ça aussi ça s'apprend. Sans toi, le monde ne sera plus le même, je sais. Voilà, mon forfait est épuisé, le recul aussi, il n'y a plus de place pour reculer, je suis dos au mur.

Bien sûr, à Orly je peux prendre un taxi, me faire déposer devant l'immeuble, composer le digicode, ouvrir la porte de l'appartement, je tâte la clé au fond de ma poche, le lisse froid du métal, lestée du porte-clé que tu m'avais offert, il y a longtemps, au début, un scarabée en argent, un souvenir d'Égypte m'as-tu confié, un porte-bonheur pharaonique. Bien sûr, je peux, l'appartement sera vide peut-être et toi dans le Lot ?, en Bretagne ? Si ça se trouve, tu m'attends. Tu écoutes un concerto de Mozart ou une *morna* de Cesaria Evora, la nuque renversée sur le dos du canapé, les cheveux déployés en éventail, les paupières closes, les narines palpitant dans la pénombre qui envahit le séjour, tu n'allumes le lampadaire qu'à la nuit tombée. Peut-être.

Tout est dans ce peut-être. On peut remettre le compteur à zéro, bricoler une nouvelle vie avec des souvenirs, des émotions, des enchantements et des désenchantements, se convaincre que oui, pourquoi pas. On efface tout et on recommence. Tu crois que c'est possible, toi, de faire du neuf avec du vieux ? Quelque chose de viable, qui vaudrait la peine d'être vécu, je veux dire. Ou alors apprendre à devenir étrangers l'un à l'autre. Revenir au statu quo ante. Tu n'es pas entrée à la Rhumerie ce jour-là. Autre version, une table est libre à l'autre bout de la salle, tu t'y installes, je ne t'ai pas vue. On s'est croisés à la porte, moi sortant et toi entrant. Voilà, on coupe la séquence, comme un monteur avec ses ciseaux. Je peux aussi jeter la clé dans une poubelle et oublier. C'est bien aussi l'oubli, ça déleste la mémoire, on se sent plus léger. Ça peut aider.

La salle d'embarquement s'est remplie, elle bourdonne. Partir, revenir sans jamais se quitter, quel sens ça a, tout ça ? *Une histoire de bruit et de fureur racontée par un idiot.*

Tout ce je que sais c'est qu'il y aura d'autres étés. Et puis il y en aura un que je ne verrai pas. Le prochain, peut-être ? Et alors ? L'urgence c'est de vivre, jour après jour.

La vie c'est comme l'avion, ça n'attend pas.

Ali Bécheur vit en Tunisie où il exerce la profession d'avocat. Romancier et nouvelliste, il est l'auteur de plusieurs ouvrages dont un essai sur la mémoire et l'identité, La porte ouverte *(La Nef - Tunis, 2000). Parmi ses romans les plus récents,* Tunis Blues *(Clairefontaine - Tunis, Maisonneuve et Larose - Paris, 2002).*

Hélé Béji

LA VAGUE ET LE ROCHER

Hélé enfant, sur un rocher
de la Méditerranée

Il y avait un jour un rocher que la nature avait jeté quelque part, entre la mer et le ciel.

— Vague, que me veux-tu ?

— T'enlacer de mon clapotis frais, blanc et mousseux, de mes bras de dentelle.

— Vague, laisse-moi tranquille, tu vois bien que je ne suis qu'un rocher.

— Et bien, les rochers ne sont-ils pas des éléments de la création, ne sentent-ils pas la vie de la Nature ?

— Hélas, Vague, je ne sens rien, je suis une malformation de la Nature, je suis un déshérité du ciel !

— Quoi, pauvre Rocher, quand l'eau t'entoure et t'enveloppe de sa caresse transparente, ne sens-tu pas un chatouillement ?...

— Non, rien.

— Un tressaillement ?...

— Pas du tout.

— Un picotement ?...

— Pas davantage.

— Un frémissement ?...

— Rien, te dis-je !

— Rocher, *poverello*, comme tu es à plaindre !

— Beaucoup plus que tu ne l'imagines...

— Mais Rocher, comment vis-tu, quel organe propulse le sang dans tes veines, comment respires-tu ?

— Je n'ai ni veines, ni sang, et je ne respire pas.

— Mais comment est-ce possible ? Pourquoi Dieu t'a-t-il fait un sort si cruel ? Tu ne le mérites pas ! Je suis si bouleversée !

— Oui, Dieu a oublié de me pourvoir de toutes les facultés du bonheur.

— Rocher, je ne puis le croire...

— Vague, je suis condamné à cette immobilité éternelle.

— Rocher, il ne faut pas être fataliste, la vie est imprévisible...

— Pas pour une bosse informe comme moi, qui ne peux remuer ni à gauche, ni à droite, dont le corps est un caillou sans tête et sans membres, qui ne sens ni le chaud ni le froid, ni le doux ni l'amer, et qui suis un pauvre morceau de granit insensible...

— Mais dis-moi, Rocher, de quel sexe es-tu ? Es-tu homme ou es-tu femme ?

— Hélas, trois fois hélas !... Je n'ose pas te le dire, Vague...

— Et bien Rocher, quoi donc ? N'aie pas peur. Dis-le.

— Hélas ! Je n'ai pas de sexe, je suis asexué.

— Rocher, c'est inconcevable ! Ça n'existe pas ! La nature est trop injuste, qu'as-tu donc fait pour qu'elle te prive de cet attribut d'amour universel ?

— Rien, je n'ai rien fait, je suis né comme cela, c'est mon destin de rocher.

— Et pourtant, Rocher, je t'entends soupirer, c'est donc qu'il y a bien un souffle de vie en toi, un mouvement imperceptible, une sensation étouffée..., une image de...

— Non, Vague, tu te trompes, c'est le reflet de l'eau sur mes parois qui te donne l'illusion que je bouge, et qu'une vie, même inconsistante, m'anime. Mais vois, je suis rivé entre l'eau et le ciel, je voudrais flotter, me laisser bercer, voler, aller, vagabonder, revenir, mais la matière où j'ai été taillé m'en empêche, elle est plus résistante que le fer, car elle ne rouille pas, et je ne puis même pas espérer qu'un jour, comme le fer, elle s'effritera.

— Quelle horreur ! Mais comment passes-tu tes jours ?

— Il n'y a pas de jours pour moi, je ne sens pas le temps, pour moi le temps est inerte, il n'existe pas.

— Et la compagnie des vagues ne te distrait pas ?

— Un peu, mais ma solitude est la plus forte.

— Rocher, comme je me désole, comme je voudrais te tirer de cet état misérable où t'a jeté la fatalité !

— Merci, Vague, mais il n'y a rien à faire, mes chaînes sont indestructibles.

— Mais Rocher, la foudre, l'éclair ne les briseront-ils pas un jour, et en frappant ta roche, ne feront-ils pas voler en éclats cette gangue ? La Nature peut défaire ce qu'elle a mal fait. Ne désespère pas, Rocher, tout n'est pas perdu.

— "Ah ! Que je suis malheureux !"

Le courant poussait sans cesse contre lui la vague qui se balançait sous ses yeux rocheux. Plus la vague se soulevait, et plus le rocher était fixé dans sa pierre, que les tourbillons de l'eau heurtaient en vain. Impénétrable le rocher, bloc solitaire et rugueux ; enveloppante et sonore l'eau, et toujours éparpillée nombreuse en mille gouttes fluides sur les arêtes du rocher. Le vent pousse la vague sur le rocher, et la vague se modifie, se coule, et s'évapore infiniment sur le rocher, cycle éternel de la nature que chacun de nous incarne un peu. Le rocher se demande pourquoi Dieu l'a fabriqué d'une matière aussi compacte et immobile, et la vague aime l'élément aquatique inépuisable qui prend à l'océan les plis transparents où elle peut montrer le froufrou aérien de ses jupons. L'un a un front obtus, l'autre a une ligne sinueuse. L'un est un minéral, l'autre est un océan. Quel dialogue peut-il y avoir entre un récif abrupt et un flot impétueux ? L'un a un langage pétrifié et l'autre pétille dans l'évaporation des couleurs marines. L'un est sombre et l'autre est clair. Imaginez le contraste, l'essence fluide de l'eau, la forme emprisonnée du rocher placé dans l'élément marin sans jamais pouvoir s'y fondre, vous aurez tout le malentendu de l'homme et de la femme sur la terre.

Le rocher voudrait bien devenir aussi liquide et aussi libre que la vague, mais il est craintif, il préfère rester là où il est, petite île rabougrie sous le ciel, et qui laisse peu à peu les coquilles marines s'incruster dans sa pierre comme des tatouages que la vague écrit en l'éclaboussant. Il soupire le rocher, mais personne ne l'entend, sa voix caverneuse est recouverte par le bruit de l'océan. Il maudit le destin qui l'a fabriqué d'une aussi mauvaise qualité et le condamne à une sorte de prison éternelle. Tout chez lui est engourdi, la nature a été ingrate envers lui, elle qui a donné tant de fantaisie et d'explosions à toutes ses créations. Ses dons sont restés cachés sous son écorce de roche. Il se venge quelquefois sur quelque coque de bateau, qui vient se fendre à son écueil, mais cela ne suffit pas à tromper sa rancœur et son ennui. La vie remue, le ciel s'ouvre sans cesse de mille échappées brillantes, les oiseaux traversent l'espace, les vagues roulent leurs grâces transparentes, la flûte de l'air chante continuellement, et lui comme sourd, prostré, plombé, éteint, il regarde tout cela en aveugle, et attend, gros caillou accroupi dans sa nuit sans étoiles, que la providence brise un jour la dureté de ce funeste destin.

"Ah ! Que je suis malheureux !"

En entendant cette plainte, qui sortait comme d'une caverne engloutie, la vague roula une larme qui se perdit dans son clapotis, tant le sort du rocher lui paraissait inhumain ; mais avant que le mouvement qui la portait ne la remportât dans le cycle perpétuel, elle dit :

— Patience Rocher, je vais intercéder en ta faveur auprès de la Création. La Nature m'écoute. Elle aime le roulis de mes paroles. Je pars, mais la brise me ramènera, tu auras de bonnes nouvelles.

— Je suis là, Vague, je ne bouge pas, je ne bouge pas, je ne bouge jamais.

Quand la vague se retira dans l'apaisement des flots, autour du rocher la mer prit lentement l'aspect d'un satin brillant tendu à l'infini, comme si le fond de l'océan s'était lui-même pétrifié dans un sommeil sans nuage et sans rêve, et qu'un drap de verre le recouvrait de son immensité. Le rocher ne fut plus caressé alors que par le silence. Aucune vague ne vint désormais le distraire. Il était rendu à lui-même, dans cet en deçà informe et aveugle qui n'a pas de langage, et d'où le désordre des passions humaines est banni. Le vent qui avait emporté la vague disparut avec elle, et l'air ne montait ni ne descendait.

Plus de brise, plus d'air, tout était suspendu, évaporé. La terre tout entière était un rocher rond et parfait, elle ne tournait plus. La lumière n'avançait plus dans le ciel. Le soleil s'était fixé à un point cloué dans l'espace. La nature semblait inanimée, comme si le rocher lui avait imprimé sa propre minéralité statique. La lune, arrêtée dans sa course, n'émergeait plus de l'horizon.

Elle restait prisonnière de l'autre côté de la terre, retenue par un jour qui ne rejoint pas son crépuscule, et dont les couleurs ont perdu leur palette de nuances. C'était un monochrome qui ne fonce ni ne s'éclaire, ne s'éteint ni ne s'illumine. Notre rocher recevait sans broncher cette lumière identique, qui ne semblait pas couler, mais se solidifier comme de la glace.

Soudain, dans cette morne paix océanique dont rien ne pouvait changer le cours immobile, seul spectacle que connaissait le rocher, sans commencement ni fin, sans rideau ni décor, sans passé ni futur, un léger remous se fit sentir contre l'une de ses parois rugueuses. Une forme lentement sortit de l'eau et vint souplement s'asseoir sur l'un de ses rebords.

Quel est ce grand poisson bizarre ? se demanda le rocher perplexe. Le grand poisson avait une traîne d'écailles qui jouait dans l'eau en s'y laissant flotter, mais son buste, comme fabriqué d'un marbre tendre et chaud, s'appuyait contre ses parois, et il agitait son casque d'algues brillantes qu'il essorait de temps en temps sur la pierre. Il avait trouvé dans un coin du rocher des surfaces plus douces où s'était formée une mousse qui lui servait de tapis. Son souffle soulevait son buste doucement et sa robe d'écailles luisait sur la pierre grise.

Le rocher, dont la solitude et le bruit des vagues étaient les seuls passe-temps, fut dérangé par la présence de cet intrus. Sans doute était-il un peu vexé d'être pris pour station de repos. Croyons-nous que nous soyons les seules créatures sur terre, nous humains, à connaître les aiguillons de l'amour-propre ? Peut-être y-a-t-il autour de nous des milliers de petites guerres invisibles entre des formes inarticulées de vie, dont nous sentons confusément en nous les tiraillements incompréhensibles. Le rocher était très contrarié. Mais que peut l'inanimé face à l'animé ? Le rocher hélas n'était pas un cheval farouche qui savait d'une ruade jeter à terre son cavalier. Il ne pouvait ni galoper, ni se cabrer, ni bondir, ni hennir. Il ne faisait pas partie de la race des pur-sang.

Mais si mal créé que l'on soit, on a le droit d'être susceptible, on s'insurge contre la loi de nature. Le rocher se mit à ressentir de l'impatience, comprimée dans sa matière. Jamais il n'éprouva plus cruellement son calvaire : avoir une âme légère sous une armure de pierre. Quelque chose l'énervait furieusement dans les ondulations de cette chose luisante qui plongeait dans l'eau et n'en ressortait que pour frétiller et battre l'air sans arrêt. Comme c'était agaçant !

Tandis que le poisson aux seins blancs, aux cheveux de corail, aux yeux de chat, à la robe de paillettes ne devinait rien des états d'âme du rocher, ni de son existence, ni de toutes ses pensées rentrées. Non, le poisson ne soupçonnait rien de cet être qui ne bougeait ni ne parlait ni ne sentait ni n'existait. Il ne l'entendait pas marmonner, tout à son plaisir de danser entre l'air, l'eau et la pierre, pendant qu'il plongeait, puis ressortait, éclaboussait, chantonnait, renversait la tête, se couchait sur le ventre, se cambrait, s'aspergeait, faisait ce que bon lui semblait avec cet insupportable caprice des animaux nimbés d'une lumière un peu sauvage.

Le rocher éprouva plus que jamais toute l'étendue de sa misère. Comment chasser cette créature de marbre, de feu, de moirure, d'algues, de soie, de parures, de corail, de désordre… ? Le rocher sentait-il le corps fléchi du poisson ? La rondeur de sa poitrine sur son tapis de mousse ? Entendait-il son cœur palpiter contre sa paroi inerte ? De temps en temps, comme une furtive caresse, sa chevelure remuait en un effluve. Alors, le rocher comprit son lamentable sort. Il avait fini par déchiffrer un peu le langage des vagues, mais là… rien. Son cerveau, amalgame de pierre, de minéraux, de granit, de sable, masse opaque de cristaux éteints, ne réagissait pas. Il n'avait qu'une idée fixe : comment se débarrasser de ce visiteur impossible ?

L'être qui baigne dans une solitude constante ne redoute rien tant que la perte de cette amère jouissance. Né dans la solitude, le rocher avait fini par n'aimer qu'elle. Elle était devenue cette privation absolue qui le grandit de tout ce qui lui manquait. Il avait creusé son trône dans le vide sans fin sur lequel il régnait, roi sans reine, sans sujets, sans richesse, sans pouvoir, il plongeait son sceptre dans l'abîme marin, et sa couronne brillait au-dessus du néant de l'horizon. Pourtant, dans un effort surhumain, dans un sursaut de révolte, une parole jaillit enfin de sa bouche pétrifiée par une éternité de silence : « Poisson, ou qui que tu sois... sylphide, statue des flots, ondine, méduse, serpent de mer, que sais-je... veux-tu s'il te plaît me laisser tranquille ? » dit-il dans un grondement irrité.

Mais qui l'entendait ? Le silence d'un été accablant fut le seul écho de son soupir rocheux. Le poisson de marbre, de corail, de chat, de serpent, d'algue, de feu, d'écailles, de paillettes, de robe, de soleil, de parfum, semblait sourd, et les mots du rocher se confondirent avec le murmure indistinct de la mer. Le rocher

49

les sentit mourir dans sa bouche pierreuse. D'ailleurs depuis quand les pierres parlent-elles ? Le poisson était ailleurs… les yeux dans le lointain… le regard tourné bien au-delà d'un horizon de rocher… D'autres visions, d'autres rêves que des pensées de rocher, d'autres démons agitent les poissons aux cheveux d'algues et de coraux. Les nerfs du rocher étaient à bout. Il leva au ciel des yeux désespérés. C'est alors qu'il vit au-dessus de sa tête un nuage immobile qui le regardait de son œil brumeux. Il crut y lire un signe de la providence. Il cria :

— Nuage ! Nuage !

— Oui, Rocher !

— Je suis dans un drôle de pétrin !

— Quoi donc Rocher ?

— Voilà !… Il me faut un orage, une bonne pluie libératrice. Ne pourrais-tu pas faire ça pour moi ?

— Non, c'est le plein été, le ciel n'est pas à la tempête, il faut attendre les orages d'automne. Pourquoi ?

— Tu ne vois pas ce que j'endure ?

— Quoi donc ?

— Et bien ça ? Ce truc là ? Ce drôle de poisson…

— Mais Rocher, ce n'est pas un poisson, c'est une sirène !

— Ah bon... enfin qu'importe, poisson, serpent, chat, méduse ou sirène, comme tu dis, je n'en veux pas !

— Mais qu'est-ce qu'elle t'a fait !

— Comment ?... Mais tu ne vois pas ?... Elle me prend pour un transat, quel culot !

— Eh, elle se baigne, elle prend un peu de soleil estival, c'est tout.

— C'est tout ? Mais cela m'est insupportable !

— Pourquoi ?...

— Parce que je veux être seul.

— Voyons, Rocher, pour une fois que tu as un peu de compagnie !...

— C'est intolérable !

— Tu exagères !

— En plus, elle me vole la lumière !

— La lumière est inépuisable.

— Elle me bouche l'horizon !

— L'horizon est infini !

— Elle me cache la mer !

— La mer est partout autour de nous !

— Elle me voile le soleil !

— Le soleil brille pour tout l'univers !

— Elle n'a rien à faire ici, sa demeure est l'abîme marin, elle n'a pas à me prendre pour son jardin. Je n'en peux plus !

— Tu es trop farouche, Rocher.

— Mais pourquoi faut-il donc que ça tombe sur moi, bon sang ?... Il y a bien d'autres rochers aux alentours... Pourquoi moi ? Juste moi ?

— Bah ! Va savoir... le hasard, le courant, le vent, le moment, l'heure, le caprice, que sais-je encore ?... Le goût bizarre des sirènes...

— Nuage, s'il te plaît, je t'en conjure, fais qu'il pleuve... La pluie la fera déguerpir ! Qu'elle s'en aille ! Que je retrouve un peu la paix !

Le nuage était ensommeillé par la chaleur d'un temps d'été radieux, il se sentait trop paresseux.

— Rocher, il fait si beau ! Je suis seul dans le ciel, c'est congé pour les autres nuages.

— Mais il faut bien que ça cesse ! Je ne suis plus tranquille chez moi... il n'y en a que pour elle... elle se tortille... elle se dandine... elle se déhanche... elle gesticule... elle me piétine de droite et de gauche... et moi je dois supporter cette comédie frénétique sans broncher !

— Rocher, cesse d'invoquer les ténèbres un jour de clarté.

— Moi ?...

— Sois plus galant avec les sirènes !

— Moi ?...

— Oui, sois plus accueillant avec ton prochain, sois plus aimable, sois plus sociable, sois
plus heureux !

— Moi ?... répétait le rocher dans une
plainte, moi l'orphelin, moi l'abandonné, moi
l'oublié ?

— Oui, accepte les mystères de la Nature,
fais comme moi, profite des derniers jours de
l'été !

— Comme toi ?... Mais toi regarde comme
elle t'a fait, la Nature, libre, aérien, ailé, céleste
et moi, MOI... vois comme elle m'a écrasé,
comme elle m'a accablé, comme elle m'a
enchaîné... Tu trouves ça juste, toi ? dit le
rocher d'une voix empierrée.

Ces derniers mots se perdirent dans l'air sans
que le nuage puisse les entendre, car un petit
vent se leva qui le poussa loin du rocher, comme
pour apporter un cruel crédit à ses paroles, dans
le silence parfait du ciel où plus aucun nuage
ne flottait. Le rocher cherchait le plus imperceptible mouvement dans le lointain : « Vague,
chère vague, où es-tu ? » Mais il ne voyait que
sa propre masse sombre se refléter sur le plan
d'eau immobile, d'une platitude insoutenable.
Le rocher se sentit alors tout à fait perdu.
Plus aucun espoir de pluie, plus aucun départ de

sirène en vue, plus de vague amie pour partager sa peine. La sirène semblait avoir définitivement pris ses quartiers. Une panique fit frémir le cœur granitique du rocher. Qui, hormis la vague, pouvait comprendre son tourment ? Fallait-il attendre comme cela jusqu'au changement de saison ? Il maudit l'été, si clément aux sirènes et si cruel aux rochers.

Où trouver du secours ? Comment fuir ? Comment s'échapper soi-même ? Par une sorte d'espoir insensé, le rocher voulut d'un coup brusque se désensabler, s'arracher à ce caveau marin qu'il n'arrivait pas à soulever. Il voulait qu'un séisme le fende en plusieurs morceaux pour que la sirène s'enfuie épouvantée et qu'il ne la revoie plus jamais, mais toute cette lutte lui causa un épuisement inutile qui le paralysa davantage. À nouveau, pour la sempiternelle fois, ce fut comme si on l'avait enterré vivant, la porte du tombeau se referma.

Hélé Béji vit en Tunisie où elle a fondé en 1998 une société littéraire, le Collège international de Tunis, *lieu de rencontres et de débats. Elle a collaboré à de nombreux ouvrages. Essayiste, elle a notamment publié* Le désenchantement national *(Maspéro - Paris, 1982) et* L'imposture culturelle *(Stock - Paris, 1997).*

Tahar Bekri

ÉTÉS D'OMBRE ET DE LUMIÈRE

carnets

De Gorée vers Dakar, 2001.

J'écrivais des silences, des nuits, je notais l'inexprimable.
ARTHUR RIMBAUD, *Alchimie du verbe.*

Collioure, France, juillet 1985

Arrivée par le train dans la petite gare qui me rappelle tant d'autres en Tunisie. Les souvenirs s'emmêlent, les émotions se cabrent dans la chevauchée des sensations, au galop. Sans brides. Retrouvailles salutaires avec la mer. Mer et montagne. Platanes, pins, tuiles rouges et odeurs de cuisine du sud. Ici c'est le pays catalan et l'été trône avec sa lumière éclatante, ses corps dévêtus, sa nonchalance. Le bonheur d'aller à la rencontre de la Méditerranée, Ô ! mer possessive, généreuse, tyrannique. Je respire à pleins poumons. J'aime ces fenêtres qui donnent sur la mer, ouvertes comme de grands yeux, ces rideaux frivoles, légers dans le petit vent, ces paroles à haute voix qui échappent aux habitants à travers leurs maisons, ces visages hâlés, cette liberté d'être, loin de la frénésie parisienne.

Ici c'est le règne de la pétanque. Jeux et cris passionnés. On s'enflamme, on se fâche, on se moque, on s'exprime bruyamment, les joueurs bombent le torse, s'excitent, se donnent en spectacle, le plaisir, la joie sont là, la victoire comme sur des arènes qui ne sont pas loin d'ailleurs. Et les joueurs de pétanque de se prendre pour des toréadors !

La place centrale s'affaire pour d'immenses parties de grillades de sardine. C'est la fête : vins, sardines grillées, feux, fumées et chaleur à l'envi. Kermesse populaire, tenues à l'aise, rires alertes et sensualité dans l'air. Avec la fraîcheur de l'après-midi, la danse collective prendra la relève. Ici c'est la sardane. Rythmes cadencés, mesurés, sons agréables.

Nous prenons, régulièrement, Annick et moi le temps d'apprécier le café que fréquentaient Picasso et Dali. Souvenirs d'exil et de résistance. C'est ici que des artistes et citoyens espagnols républicains, anti-franquistes sont venus chercher asile. Les collines, les rues, les murs témoignent. Ô terre absente !

La mer borde l'imposante citadelle. Non loin, la tour médiévale arabe. Ici Matisse a peint *La fenêtre ouverte à Collioure* en 1905. Collines brûlées. Vignobles de banyuls. De petits incendies, ici ou là, sans inquiéter les baigneurs. Plage, bains de mer et promenades.

Et puis cette matinée qui m'emmène au hasard des découvertes jusqu'au petit cimetière de la ville. Je pense au *Cimetière marin*, je ne sais pourquoi. Étrange présence de Valéry. Ce n'est pas dans mes habitudes de visiter les cimetières. Nous devrions pourtant. Silence imposant des lieux. Paix et tranquillité. Jusqu'à la vue de cette tombe curieuse. Avec une vraie boîte aux lettres à ses côtés. Je m'approche, la boîte contient de petits morceaux de papier. De vrais mots et lettres déposés par les visiteurs. Sur la tombe elle-même, étaient posés de petits pots de terre. Terre d'Espagne. C'est la tombe du grand poète espagnol, Antonio Machado ! Le poète anti-franquiste, professeur de Garcia Lorca a réussi à échapper aux griffes du monstre et s'exiler ici. Pas pour longtemps. Il mourra très peu après à Collioure. Sa mère le rejoindra.

Le Pouldu, Bretagne, été 1985

Sous le cyprès
Les genêts insouciants
Ouvrent leurs yeux
Les genêts ne sont pas
Des genêts
Mais le souvenir
De la lumière

Ici c'est le pays de Gauguin. La marée est haute. Je regarde longuement la mer. Les genêts non loin. Petit vent. Brise marine. Sable et goémon. Un vieillard s'approche de moi :

— Vous savez, j'ai fait la coloniale, Monsieur, vous voyez ces tatouages, je les ai payés cher. Ah ! La jeunesse ! Quand j'avais quatorze ans, il n'y avait ici que chevaux et charrettes. J'en avais marre de ramasser le goémon, alors je suis parti… au loin. Vers les pays chauds. J'adore la chaleur. Vous êtes d'où, Monsieur ?

— De Tunisie…

— Ah ! la Tunisie ! C'est un beau pays. C'est différent d'ici, n'est-ce pas ? Et puis la chaleur… toujours la chaleur, pas comme ici. Vous revenez dans une semaine ou deux, il n'y aura plus personne. C'est triste. Oh ! vous savez, peut-être, c'est sûr même, il fait toujours bon à l'arrière-saison, quand personne ne sera plus là. Le temps est doux à l'arrière-saison. De belles promenades à faire, Monsieur...

Et puis il y eut ces sentiers entre rochers et verdures. Où mènent-ils ? Là-bas, vers le petit port. Écumes, pelotes fragiles, galets. Tu ne pardonneras pas aux vagues leur indifférence. Mais qui a omis de repartir ce lundi de lumière ? Qui a laissé son cœur sur le petit quai entre deux épuisettes jetées contre le mur ? Tu connais maintenant la Maison Portier au bord de la Laïta. Ici c'est l'embouchure du fleuve et tu es comme lui, dans les bras de la mer. Sentiments mêlés et eaux emportées. Confusion des émotions et tant de remous. La houle ne peut apaiser la distance ni reposer tes envolées, mouettes folles.

— Vois-tu là-bas la maison en pierre de taille ? C'est elle que Gauguin a peinte.

Champs de blé noir. Noyers. Cyprès. Et nous marchons parmi les millepertuis, la menthe sauvage, la bruyère, les chardons, les mûriers. Les champs de maïs cachent un peu la maison mais on voit les fenêtres. Ces rires sous les sapins qui parviennent jusqu'à nous. Les meules au loin. Elles pourraient rouler jusqu'à toi. Cerceaux pleins de sueurs et de labeurs.

— Mais ces bancs ont une position absurde !

En face, on voit l'île de Groix, le phare, au bout, le reste de l'île, de l'autre. À côté de nous, la vieille vendeuse de glaces, fourrée dans sa voiture-boutique, brûlée par l'air et le soleil, chasseuse de paysages et d'enfants.

Comme une stèle
Ton regard
Où les menhirs s'élèvent
Se meut
On aligne les morts
Même si leurs souffrances
N'étaient pas égales

Les souvenirs d'André Gide avec Gauguin dans cette auberge au Pouldu reviennent sans cesse comme une obsession. On entend presque les sabots de Gauguin. Dans *Si le grain ne meurt*, Gide trouve Gauguin rustre. Flaubert est passé par ici aussi. *Par les grèves et les champs* est une autre description de ce qui est devant mes yeux.

L'ortie te brûle. Aubépines. Chèvrefeuilles. Talus. Le soir au bar Kerharo : le poète et barde breton, Glenmor chante sa Bretagne, sa Bretagne des pauvres et du blé noir. Mais l'est-elle vraiment encore ? Mythe ou attachement à une identité menacée ? Glenmor : fils de la mer. Chants et voix venant des fonds de l'océan, paroles comme des manifestes, cris comme des drapeaux, mer sillonnée comme une terre.

Et te revient du fond de l'océan cette musique de Benedetto Marcello sur la petite plage de Greve Strand au Danemark. La mer qui se retire…

Sans cesse, en vain, tu essayais d'éloigner de toi l'ombre funeste, les Leçons de ténèbres. Sans cesse tu tentais de quitter la vallée de la mort qui a emporté ton frère et sans cesse tu cherchais à éloigner de toi l'idée que son rire, ses sourires étaient éteints à jamais, ses mains fraternelles à jamais dérobées. Ô mer sourde ! Ô cruelle beauté ! Pardonnez à son cœur la douleur de la roche qui s'effrite, la brisure du bateau qui chavire, le cri du goéland vorace et vous fiers vallons, répandez parmi les peupliers mélancoliques l'écho funèbre.

— Il faut téléphoner à Tunis. Il y a une mauvaise nouvelle. Ton frère est mort.

Fol oiseau je suis dans la demeure hantée. Comment vous aimer pommiers si lourds de vos fruits, hortensias en fête, seigle épanoui, roses légères ?

Port-au-prince, Haïti, 1986

L'été en novembre ! Sensation bien étrange et non habituelle mais combien appréciable. Partir par le froid parisien et atterrir comme brûlé par l'air chaud, parmi les cocotiers et les manguiers. À l'aéroport, on nous annonce que nous avons échappé à un cyclone assez violent. C'est la première fois que je suis ici, dans les Caraïbes, si loin de la Méditerranée, si loin de Paris aussi. Été ou saison sèche ? Je perds mes repères. Soleil brûlant. Moiteur. Temps orageux. Heureux d'être ici. Dans le premier pays noir indépendant. Dès 1804 ! me dis-je, non sans fierté. Vainqueur de Napoléon, de surcroît. Je suis ému d'être ici, sur cette île, si chargée d'histoire. Dans ma tête *La tragédie du roi Christophe* que j'ai lu, étudiant à Tunis. Je pense à Aimé Césaire que je lisais avec tant de fougue et passion, à Frantz Fanon, l'enthousiasme, les récitals de poésie, la littérature des Antilles, des Caraïbes. Rapidement, je me rends compte que ce frère antillais est si proche de la tragédie actuelle : dictature, terreur, pauvreté insupportable, insalubrité insoutenable. Depuis si longtemps indépendant et tout ce marasme, tout ce retard !

Comment ne pas ressentir tout ce mélange

intense de beauté et de laideur, d'éclat et de détresse ? Magnifiques bougainvilliers, flamboyants dans la lumière, rougeoiement sur rougeoiement, verdure généreuse et des chiens errants parmi les monticules de détritus, eaux pourrissantes et misère. Il y a dans cet été-là, cette saison nouvelle que je découvrais, devenue été mien, comme une lourde chaîne qui emprisonne le rêve, brise l'élan et handicape mon enthousiasme. Comment ne pas admirer ces couleurs festoyantes, se remplir les yeux de ces dessins et peintures sur les véhicules, les tap-tap, les moyens de transport, la vivacité, le bruit, le mouvement, la cohue, la foule, les odeurs, l'énergie, les embouteillages, le chargement continu des marchandises, le chaos, l'exploit et l'agilité en dépit de la difficulté de vivre, ces maigres fruits ou légumes à vendre, ces mains tendues, ces regards quémandeurs. Je me sens comme tenaillé, tiraillé par des sentiments antagoniques, conflictuels, complexes : si heureux d'être ici et si révolté, en colère. Avec l'ami Tchicaya U Tam'Si, l'écrivain congolais, je me rends compte des liens de cette île avec le continent noir. Et même si l'île paraît si loin de l'Afrique, et même si certains veulent couper le cordon ombilical, il n'empêche : je ressens physiquement les liens entre les allures,

les démarches, les rythmes, les couleurs, les
habitations, les gestes. C'est ontologique. Le
reste est querelle d'intellectuels ! Parce qu'il
était du Congo, Tchicaya se faisait souvent
interpeller par les passants, sur le vaudou, sur la
religion des ancêtres. Il paraissait pour beaucoup
comme un ancêtre vivant. Tchicaya est aussi
ici pour la première fois et nous découvrons
ensemble, émerveillés, les peintures naïves
haïtiennes. Il en devenait fou et me demandait
souvent si je ne voulais en acquérir. Il voulait
honorer le génie du peuple, le peuple des gueux
si talentueux, disait-il. Il en achètera un grand
nombre avec l'écrivain Pierre-Jean Rémy, avec
lequel il comptait exposer ces œuvres à Paris
mais hélas, il mourra bien avant que l'exposition
ne pût se réaliser. Habitué aux palmiers de
Gabès, je demande à Tchicaya à la première
vue d'un cocotier, c'est quoi ce régime qui pend
et il me répond avec reproche, tu ne connais
donc pas les couilles de l'éléphant ! Depuis, les
noix de coco sont liées au souvenir fraternel de
Tchicaya. Et cet écrivain amoureux du verbe
refusera de venir au Cap, au nord de l'île pour
visiter la citadelle du roi Christophe. Il préféra
aller à Jacmel, à la rencontre des intellectuels
de la ville, des êtres vivants, je n'ai rien à foutre
avec les pierres mortes, me dit-il. J'irai, quant

à moi, en compagnie de Pierre-Jean Rémy
au Cap et découvrir la citadelle mythique,
l'impressionnante citadelle et la fierté du pays.
J'aurai cette chance de donner à mes propres
souvenirs en Tunisie des images plus concrètes.
Le voyage est aussi une traversée bouleversante
de l'île : champs de café, bananeraies, orangers
et toujours cet alignement de cases et de huttes
au bord de la route, dans la nudité du contraste,
la douleur du cache-misère, et tous ces enfants
qui, parfois, avaient un morceau de canne à
sucre à sucer…

La poésie a cette chance de pouvoir suggérer
l'élémentaire, le substantiel, l'essentiel mais
tout naît des vibrations du cœur, du frémissement des palmes, de l'espérance comme
baume contre les blessures durables, les plaies,
longues à cicatriser. Nous ne voulions pas
que ce voyage devînt une suite de litanies ou
des cris de désespoir. L'écriture est un défi,
un radeau pour ne pas sombrer, une parole
généreuse parmi les décombres, un coquelicot
dans un désert de glace. L'humour fraternel et
complice de Tchicaya, qui me rappelait souvent
que son nom signifiait en arabe complainte,
l'amitié de Jean Métellus qui revenait chez lui
après vingt ans d'exil, de Pierre-Jean Rémy

adoucissaient ces soirs à Haïti, où entre verres de rhum, citrons verts, utopies, oranges vertes et planteurs, mon été prenait la couleur de la nuit tropicale. De la nuit caraïbe, je captais ces bonheurs-là, la fleur des saisons, la chaleur des rencontres fraternelles, la parole à l'œuvre au-devant des obscures frontières.

Skagen, Danemark, juillet 1987

Nous partons vers Skagen, au nord du pays, la nuit, accompagnés par la lune, sous un ciel jamais noir. Un mélange de soleil et de lune donne à ce voyage une lumière étonnante, particulière, belle. En été, la nuit est presque blanche, ici. Nous arrivons tôt le matin dans la ville endormie et déserte et nous gagnons tout de suite la mer : « La mer, toujours recommencée ». Des dunes de sable blanc s'élèvent, séparées par des étendues de galets. Nous accouchons le matin, enchantés, enveloppés par la lumière et le rythme des vagues, les offrandes musicales.

Le paysage est grandiose, splendide. Ici se rejoignent deux mers, celles du Danemark et celle de la Norvège. Face à la mer, sur une dune, se trouve la tombe du poète et peintre danois, Holger Drachmann. C'est une lyre sculptée parmi les pierres, les roses sauvages et les bruyères non encore fleuries. Là, comme pour défier ces bunkers non loin, tristes souvenirs d'occupation nazie. Beauté contre laideur. Célébration de la poésie, de la vie contre la volonté de mort. Le voyage avec Holger Drachmann se poursuivra avec ses peintures exposées au Musée de la ville, à côté des toiles

73

des peintres, Kroger et Ancher. Objets intimes, fleurs, bois sonore sous nos pieds. Je reste longtemps à admirer cette lumière du Nord, ces paysages de sable, de dunes et de seigles de mer. L'été est là, doux, léger, mélancolique aussi. Bateaux, pêcheurs largement tatoués, j'imagine qu'ils ressemblent aux anciens vikings, filets à ramender sur le quai, promeneurs, tenues estivales, bières, gros rires, odeurs de saucisses grillées. Une envie d'ouvrir sa poitrine au petit vent, à l'air marin, d'accueillir les rayons de soleil, de les emporter, cadeaux de clémence et d'éternité. Annick est aux nues. Son port natal, en Bretagne, est là. Odeurs de poissons, écailles, couleurs vives. Fête pour les yeux et les poumons ! Un bateau de pêche retient mon attention : il s'appelle Selma. Et voilà que ce nom, qui m'obsède déjà, jaillit du fond de l'eau et m'emporte avec insistance vers les "Poèmes à Selma" sur lesquels je travaille depuis quelque temps.

Et puis cet après-midi sur la plage de galets, l'été avec sa fraîcheur nordique, des dizaines de promeneurs et de touristes scandinaves, couchés à même les galets, drapés dans des lainages ou des plaids, bercés par les vagues, admirant l'horizon et attendant pendant de longs moments le coucher du soleil. Enfin, quand le soleil finit par disparaître, dans la douceur du soir et le rougeoiement du ciel, ce fut un tonnerre d'applaudissements !

Il y a parfois dans la beauté des gestes des hommes ce qui rassure et donne à espérer de l'épopée humaine.

Oslo, juillet 1987

La visite du Musée d'Edvard Munck (1863-1944) est une véritable traversée de la souffrance et de la douleur. Les œuvres de ce grand peintre sont poignantes. Me remplissent d'inquiétude, de vérités profondes. Il peint admirablement, sans concession, la mort, la maladie, la jalousie, l'amour anxieux, la mélancolie, le cri.

Le soir, nous faisons une promenade autour des chutes de Sagene. Ce quartier ouvrier du siècle dernier s'est transformé aujourd'hui en un lieu privilégié pour bureaux et ordinateurs. Sur le petit pont, se trouvent de belles sculptures de femmes ouvrières, comme pour rappeler le souvenir de l'ancienne usine de textile par l'artiste Ellen Jacobsen. Un hommage est rendu au poète ouvrier, Oskar Braten (1881-1939). Ce lieu est un mélange étonnant de souvenirs ouvriers et de parades branchées.

Le lendemain nous visitons le Musée National d'Oslo, la Nasjonalgalleriet. Les peintres du Nord m'émerveillent de leurs lumières. Mais de nouveau, les peintures d'Edvard Munck m'arrêtent par leurs tourments et leurs sentiments sombres. Peut-être que les œuvres qui reproduisent certains paysages de France : *Rue*

Lafayette, *Nice*, etc. sont-elles plus gaies et plus heureuses.

Oslo me surprend comme ville du Nord par l'aspect vieux et presque pauvre en dépit du niveau de vie très élevé. À cette saison, vidée de ses citoyens riches, partis au loin en vacances, les rues sont occupées par de jeunes drogués, des vieux abandonnés, seuls et misérables. À comparer Oslo, du moins dans les quartiers que nous traversons, avec Copenhague, il y a comme un sentiment de malaise qui m'envahit, toute cette violence, sensible chez certains jeunes ivres, des bandes où les filles se montrent très sexy et provoquent les passants.

Nous visitons le grand parc où sont exposées les sculptures de Vigeland. Je ne les apprécie guère. Elles font l'éloge de la puissance. Monumentales, agressives presque. Souvenirs d'une idéologie suspecte. Le parc est très beau et combien endommagé par toute cette démonstration de la force. L'art n'est-il pas coupable ainsi de participer à la grandeur violente, à l'abrutissement musclé ?

Sur la route vers le sud de la Norvège, nous nous arrêtons pour visiter le musée populaire. Un musée pour maisons traditionnelles norvégiennes. De vraies maisons dans un vrai village ! Le musée restitue telles quelles

les vieilles maisons en bois. Certaines sont très vieilles et remontent à des siècles passés. Plus qu'une leçon d'ethnographie, c'est une invitation à la rencontre de ce peuple, de sa culture, de son identité. Nous admirons l'artisanat, l'art de travailler le bois et tout le savoir-faire des anciens Norvégiens. La beauté des maisons, la quiétude des lieux, la détente que tout cela nous procure me réconcilie avec Oslo.

Arendal, sud de la Norvège, 21 juillet 1987

La rivière
arrive
dans la douceur de la nuit
et le matin de l'âge

La famille de Ruth est très nombreuse. Grande surprise dans cette partie d'Europe à la démographie plutôt faible. Mais il y a une explication. La famille est conservatrice. Aujourd'hui on fête un anniversaire. Tous les dix ans, les anniversaires sont fêtés royalement, avec beaucoup de monde, annoncés dans les journaux et constituent un événement familial très important. C'est une grande fête. Deuxième surprise : tous les membres de sa famille ne boivent pas d'alcool, ne fument pas de tabac. Ils semblent des protestants rigoristes. C'est une fête sobre, où l'on chante des chansons traditionnelles, où l'on plaisante beaucoup. À la fin de la fête, la mère de Ruth se lève et lit solennellement un conte moral et symbolique. Tout le monde est chaleureux et souriant. Les fêtes sans alcool, me dit-on, sont très fréquentes ici, dans cette région du sud de La Norvège. Beaucoup de familles sont puritaines. Une seconde fête sera organisée, heureusement, tolérance exige, cette fois-ci pour les moins strictes : alcool, crevettes roses, danses, musiques, rires, cadeaux, mots, toasts à l'honneur de la célébrée, festin et joie. Je pense à certaines scènes de films d'Ingmar Bergmann.

Le lendemain, le soleil revient. La chaleur envahit la région. Les bateaux sont semés sur la rivière pour rejoindre la mer, si calme et belle. Le soir, mes amis me proposent d'aller avec eux à la pêche aux crabes.

Très tard dans la nuit, mais ici le soleil ne se couche presque jamais, en ces jours d'été. Nous rejoignons un autre ami qui nous attend sur son bateau. Nous sommes maintenant quatre personnes sur un petit bateau à moteur.

Nous naviguons pendant une demi-heure pour atteindre un bouquet d'îlots, les uns contre les autres. Nous arrivons à côté de grands rochers presque entièrement rouges. Certains ont la couleur des crabes.

La pêche consiste à tourner autour des rochers et à s'en approcher. Pendant que l'un rame tout près, l'autre dirige une lampe sur l'eau et tient un filet suspendu à une longue perche. Tout l'art consiste à soulever rapidement et énergiquement le crabe avec le filet. La pêche est fascinante par beau temps où l'on peut admirer le ciel et sa lumière nordique particulière. La pêche aux crabes est très populaire et séduit de nombreux Norvégiens. Helge, notre ami, est un vrai spécialiste. Il réussit à en prendre beaucoup. Nous revînmes vers deux heures du matin à Natvik, l'endroit de rêve.

23 juillet 1987

Il fait très beau aujourd'hui. Un soleil splendide. Nous décidons d'aller à la mer. En arrivant, nous nous plaçons sur des rochers énormes, d'où l'on peut voir et admirer les autres îlots. Les bateaux vont et viennent, petits et grands, sereins et fous, rapides et lents, un ballet de mouvements. Une sensation agréable d'être sur une île, avec tous ces amis. Les enfants ont beaucoup de liberté. Les parents n'usent jamais de leur autorité. Tout se passe sans jamais avoir besoin de donner d'ordres ou faire des remarques. L'autonomie des enfants rend la vie plus facile et la sortie plus agréable, plus tranquille. Aucune comparaison avec les familles maghrébines où la lutte d'autorité est pénible, tendue et pour finir, inutile.

Nous voyons de nombreuses familles installées, chacune presque, sur un îlot. La pratique est courante de passer ici une journée par ce temps d'été radieux. La nature est un vrai cadeau. C'est la chose la mieux partagée ici. Elle semble offrir aux uns et aux autres une paix de l'âme, un besoin de solitude, une quiétude que chacun cherche. Les Scandinaves sont très écologiques. Un respect presque religieux de la nature. Je me rappelle qu'en traversant le paysage d'Oslo jusqu'à Arendal, je n'avais pas remarqué de villages ou de groupements importants d'habitants. Ce sont davantage des maisons individuelles parsemées à travers les bois et les forêts, à des distances imposantes. Tout le pays semblait ainsi habité mais avec un voisinage bien éloigné.

Demain, nous reviendrons ici sous le soleil. Tant pis si la tranquillité des lieux est perturbée par tous ces bateaux à moteur qui transforment la mer en une véritable autoroute ! Mais c'est encore supportable et la modernité a son prix. L'été est là, prince populaire, dieu sur la terre des hommes, source de joie et de bonheur.

25 juillet 1987

Une fois par an, certaines villes restent ouvertes avec leurs magasins, tard dans la nuit. Nos amis nous proposent d'aller à Grimstad, une jolie petite ville, non loin d'Arendal. Nous arrivons dans une atmosphère de fête, de saucisses grillées. Shopping, soldes à tous les étalages, couleurs vives, allures de promeneurs libres et nonchalants. Les têtes sont blondes, les visages hâlés. Un vrai champ de blé sous le soleil estival. Je ne sais pourquoi je pense soudainement à Oran, à tous ces visages bruns, à tous ces yeux noirs. Les deux villes me donnent cette impression de visages similaires. Pas d'étrangers. Pas de mélanges ethniques ni de brassages de populations comme à Paris.

À Grimstad, nous nous arrêtons devant

la maison de Henrik Ibsen. C'est là qu'il a écrit sa première pièce de théâtre. Dommage, la visite n'est pas possible. La maison était fermée, simple dans son aspect extérieur. Ibsen y a vécu de 1847 à 1850. Un petit buste en bronze dans un jardin rend hommage au grand dramaturge.

Paris, 28 juillet 1987

De nouveau à Paris. Paris presque vide avec tous ces départs en vacances. Hier, nous avons passé la journée à Copenhague. Nous étions contents de retrouver la ville après le retour de Norvège, même le temps d'une brève escale pour reprendre un train vers Paris. Annick était heureuse de revoir la ville qu'elle aime. Copenhague nous donne une joie estivale que nous n'avons pas vécue à Oslo. Nous quittons la gare pour nous retrouver devant l'imposant Hôtel de ville. Je revois la place avec ses centaines de pigeons, ses touristes prenant le temps de se reposer. C'est là qu'un photographe m'a pris pour illustrer un poème que je devais publier dans le quotidien *Ekstra Bladet*. Des jeunes improvisent un terrain de football. Ils courent, heureux. La scène est presque surréelle dans ce centre urbain. Ils déjouent la ville et son trafic. Personne ne viendra déranger leur bonheur.

Derrière le banc sur lequel nous sommes assis, un peu fatigués par le voyage de la veille, s'élève la statue d'Andersen. Nous regardons les passants, les pigeons picorer toutes sortes de grains. Un Danois âgé traverse toute la place pour ramasser une bouteille abandonnée et la mettre dans une poubelle. Un sens civique très partagé ici.

Paris, 21 août 1987

Depuis mon séjour en Scandinavie, je pense aux "Poèmes à Selma". Ce nom ne me quitte pas depuis la lecture de *Souffrances du jeune Werther*. Dans ce livre, Goethe parle des poèmes d'Ossian. Ossian est même préféré à Homère. Ce qui m'intrigue et crée ma curiosité. Je voudrais lire ces poèmes. Les poèmes d'Ossian, écrits par le poète écossais, James Macpherson au XVIIIe siècle, ont été à l'origine d'une supercherie littéraire qui a bouleversé les pré-romantiques européens. Macpherson avait attribué ses propres poèmes à la tradition celte et gaélique du IIIe siècle. Parmi ces poèmes se trouvent *Les chants de Selma* que Goethe a traduits à Strasbourg. Je n'ai pas encore lu les poèmes de Macpherson ni la traduction de Goethe mais le nom de Selma m'obsède vraiment. Selma est un nom arabe que l'on trouve dès la période pré-islamique. On le trouve également en Scandinavie. Le Nord et le Sud se rejoignent ainsi, mêlés et confondus dans la même mémoire. Exil, errance, voyage. L'évocation de ce nom arabe dans la création littéraire du Nord m'interpelle à plus d'un titre. Où ce nom a-t-il pris naissance ? Comment est-il arrivé dans ces pays du Nord ? Est-il un nom arabe à l'origine ? Je ne pense pas seulement au prix Nobel, l'écrivain suédoise, Selma Lagerlöf.

Je me rappelle que sur l'autoroute qui lie la Suède à la Norvège, un panneau indiquait le nom de Selma Lagerlöf. En arrivant à Oslo, je n'ai pu m'empêcher d'ouvrir le bottin de téléphone. Je n'ai pas été déçu : le nom de Selma était là à plusieurs endroits !

Auparavant, au port de Skagen, au Danemark, j'avais remarqué ce bateau de pêche portant ce nom. Annick ne comprend pas vraiment cet intérêt, presque obsessionnel, incompréhensible.

Le partage des cultures et la volonté de retrouver toujours des points de repère, des éléments propres à la culture arabe constituent pour moi des intérêts réels, surtout depuis que je vis en France, qui apaisent la mémoire de l'oubli. Ce sont de vrais barrages, contre l'érosion de la mémoire, comme si cette dernière était menaçante. En fait, c'est le sentiment que l'histoire culturelle universelle reste dans son ensemble euro-centriste qui me pousse à ce désir d'en réajuster la teneur et rééquilibrer les apports des uns et des autres. Quoi de plus normal que de vouloir échapper au réflexe dominateur qui tente par tous les moyens d'effacer les traces de l'Autre, d'ignorer sa participation à la civilisation universelle ?

Depuis, j'ai lu que des voyageurs arabes avaient atteint la Scandinavie dès le Xe siècle. C'est le cas d'Ibn Fadhlan. Al-Idrissi, lui, décrira la Finlande au XIIe siècle. Dans son *Voyage chez les Bulgares de la Volga*, Ibn Fadhlan raconte sa rencontre avec des marchands vikings venus vendre leurs esclaves sur la Volga. Cet ambassadeur du calife abbasside Al-Muktader effectue une mission en 921 dans cette région d'Europe. Les Vikings connaissaient bien les marchands musulmans venus de Bagdad. Les Nordiques étaient encore païens, dans leur majorité, malgré l'arrivée du christianisme...

Est-ce là que réside le secret de Selma ? Ce nom est-il arrivé ainsi dans ces contrées lointaines ? Pourquoi m'obsède-t-il tant ? Comment pénétrer le mystère ? Peu importe, en fin de compte. La poésie est aussi cette quête. Pourquoi vouloir rompre le mystère ? Au-delà de Selma, ce sont les sensations étranges qui poursuivent le songe, qui lui donnent cette imagination pour retrouver la vie passée et mieux saisir le présent. Selma adoucit nos distances, réduit nos inquiétudes dans ce présent arabe tragique.

De retour à Paris, je sens un vrai besoin d'écrire et de commencer un cycle poétique en langue arabe. Cela ne m'était pas arrivé depuis longtemps. J'imagine ces poèmes partagés entre le Nord et le Sud. Je pense au romancier soudanais Taïeb Salah qui, dans sa *Saison de l'émigration vers le Nord*, s'est écrié : « Je suis un Sud qui a la nostalgie du Nord ».

22 août 1987

Je commence à écrire les "Poèmes à Selma" en arabe, pris par des sensations intenses, un flot d'émotions, une multitude de métaphores qui ne s'arrêtent pas. Je suis également partagé entre écrire en arabe ou en français ces poèmes. Le passé qu'évoque en moi le nom de Selma me décide à faire cette traversée du Sud alors que mon séjour fut au Nord. Je décide d'écrire ces poèmes en arabe, sans être sûr qu'ils trouveront un éditeur. Mais je suis résolu à ne pas en faire une traduction française.

Je prends la décision le même jour de commencer une version française des mêmes poèmes. Je rassemble les éléments qui vont constituer le cadre de cette suite poétique. Et pour commencer : ce souvenir au Musée d'art moderne de la ville de Silkeborg, au Danemark.

Une toile, parmi tant d'autres, mais qui avait attiré mon attention plus particulièrement dans cette belle et riche collection du peintre Asger Jorn, un tableau de Jean Dubuffet intitulé *Bédouin au bâton, chameau entravé* (1948). Dans cette ville du Nord, cette toile parmi les œuvres des artistes du mouvement Cobra, m'avait plongé tout de suite dans les siècles des caravanes. Pourquoi avais-je pensé à la route de l'or, aux chameaux chargés d'or, au désert, au Sahara, au commerce des caravaniers ?

Je ne sais comment les poèmes à Selma seront développés, quelle forme ils prendront. Je suis partagé entre deux univers, deux lieux, deux espaces, deux directions opposées, des souvenirs contradictoires. Comment rendre ces sentiments difficiles : le Nord si apaisé et heureux, avec sa nature clémente, avec son bien-être et son confort, le Sud avec sa tourmente et sa violence, sa misère et son oppression ? Comment traduire ces sentiments complexes qui provoquent en moi des souffrances, dans cet exil peu enclin à la quiétude ? Les poèmes à Selma envahissent ma tête, s'écrivent parallèlement en arabe et en français, les métaphores se chevauchent, les souvenirs s'entremêlent. Tout se précipite, l'Histoire, le présent, l'exil, les souvenirs, la joie du voyage, la blessure, l'absence, l'intensité des émotions, la réalité politique, le mouvement tumultueux du monde, le bonheur de découvrir de nouveaux espaces, de nouveaux pays, de nouveaux lieux, la tolérance et l'accueil de nos hôtes scandinaves, leur ouverture qui me procure tant de paix. L'ouverture de l'Autre est si importante, mais peut-elle être à sens unique ? La plénitude tient parfois à peu de choses : la vue d'un rosier sauvage au Danemark, le vol des hirondelles au-dessus de la mer, marcher sur le sable accompagné par le bruit des vagues, cueillir une pomme d'un arbre, partager un coucher de soleil.

23 août 1987

Désespéré de trouver les œuvres de James Macpherson au Centre Georges Pompidou, je vais vers le rayon des livres arabes. Les ouvrages classiques m'arrêtent : Ibn Rachiq, Ibn Qutayba, At-Tawhidi, Abul-Atahiya, Al-Maarri, etc. Finalement, mon regard se fixe sur un ouvrage de l'écrivain tunisien, Ali Douâji (1909-1949). C'est un recueil d'articles rassemblés par l'écrivain Ezzedine Madani sous

le titre : *Tahta Essour,* Sous la muraille. Ali
Douâji y décrit ce groupe d'écrivains et d'artistes, marginaux et bohèmes, dont il faisait
partie dans l'entre-deux-guerres. *Tahta Essour,*
désignait en fait un café sous la muraille de
Tunis où se regroupaient artistes fauchés,
chansonniers, journalistes, libres penseurs,
anti-conformistes, désargentés, pessimistes et
désespérés de leur état mais qui se vengeaient
de l'adversité par l'ironie et l'humour noir,
dans une verve populaire, à la critique féroce,
avec un ton licencieux rare. Rien n'échappait
à leur regard satirique, déjouant avec le rire la
déchéance sociale et l'injustice de l'Histoire.
Quelle fraîcheur, quelle liberté de ton !

Bretagne, août 1987

De nouveau en Bretagne, pour une semaine. L'été tire à sa fin. Il fait très beau. Je retrouve les paysages fidèles à *L'appel de Gauguin*. Je m'occupe à lire et à écrire. Je continue à travailler sur les "Poèmes à Selma". Je lis, parallèlement, *Le Tournant* de l'écrivain allemand, Klaus Mann. Ce livre grave me passionne. Cette œuvre autobiographique, qui vient d'être traduite en français, est si capitale pour comprendre la gauche allemande, les mouvements intellectuels allemands avant que n'éclate la deuxième guerre mondiale, la montée du nazisme, l'exil des écrivains et artistes résistants. L'œuvre est si généreuse et lucide. Mais l'auteur semble avoir été marginalisé à cause de la célébrité de son père. Klaus Mann paraît comme un écrivain précoce, ouvert, humain, engagé contre la bêtise et la barbarie. Sa vie est traversée par un idéal romantique, hantée par la découverte du mystère et de la beauté qui nous entoure. Homme de culture, il est un grand lecteur, critique de Socrate, Nietzsche, Novalis, Whitman, ses auteurs formateurs.

En 1924 ou 1925, Klaus Mann effectue un voyage en Tunisie. La description qu'il fait de

Tunis est surprenante d'actualité. Tunis semble être la même ville, avec ses souks, ses ruelles, ses boutiques, ses cafés. Au Sahara, il est ébloui par la beauté du désert et trouve que nulle part, la vue n'est si belle. En lisant ce passage, je n'ai pu m'empêcher de penser à mon émerveillement devant les paysages du Nord.

Fin août 1987

Je relis *Éloges* de Saint John Perse. Je suis surpris par toute la violence qui y règne. Cela m'avait bien échappé par le passé, lors de mes lectures estudiantines. En lisant ces poèmes, je me suis souvenu de la conférence donnée par le poète Lorand Gaspar à la Maison de la poésie à Paris en juin dernier sur le thème de la violence chez Saint John Perse. La beauté est si violente, dit Lorand Gaspar en parlant du poète... Elle nous ébranle, nous secoue, mais nous rend esclaves ou hommes libres.

Paris, été 1988

Jardin du Luxembourg.

Je te reconnais palmier, même les yeux fermés. Parmi tous ces arbres. Et t'écoute quand tu me dis : Regarde comme je suis déplacé, placé autour du bassin, dans ce jardin artificiel. Je grandis dans une caisse. Ni rigoles ni ruisseaux. Ni cascades ni séguias.

L'été, on me sort comme pour réchauffer les os d'un vieillard. Dès les premiers frissons d'automne, on me ramènera au bercail. À l'orangeraie, au chaud. Ils pensent me protéger des neiges parisiennes et des longs hivers.

Trouves-tu normal que les miens m'oublient et que je sois si loin de vous, vous soleils, éclats de la lumière, rayons protecteurs ? Je suis stérile, pas le moindre fruit, mes bourgeons, inutiles. Ma compagnie, un vieil homme, seul. Chaque après-midi d'été, encore un été loin de la mer, sous mes feuillages rares, il vient chercher un peu d'ombre. Mon ombre si maigre. Il regarde longtemps au loin, un regard évanescent, sans fixer quelqu'un ou quelque chose. Parfois, il s'efforce de sourire à un passant qu'il s'invente mais rapidement il se reprend et semble attendre une connaissance. Il essaie de faire quelques pas, difficilement puis revient à sa

94

place. Il ouvre un vieux panier en plastique usé, avec dedans plein de papiers jaunis, des images aux couleurs délavées, des souvenirs gardés comme des trésors, des grains de blé, de riz, une bouteille d'eau et des morceaux de pain. Une caverne d'Ali Baba. Il regarde à l'intérieur de son panier, cherche quelque chose, murmure quelques mots incompréhensibles puis remplit sa main de miettes. Il se met ensuite à siffler doucement, tranquillement. Les oiseaux le re-connaissent et accourent, s'approchent de lui, petit à petit, s'envolent apeurés puis reviennent se poser sur sa main, picorent les miettes.

Lui, est aux nues, souriant, heureux.

Son bonheur est là et moi ?

Dans ma mélancolie, je rêve de palmeraies du sud, de mers lointaines, de vagues hautes, de corps en sueur, de siestes, de rideaux dans le vent, de sauts dans les cascades, de chutes d'eau, de pièges à oiseaux et de cris d'enfants libres.

Les moineaux me tiennent compagnie aussi. Je m'habitue aux sifflements du petit vieillard. Je l'écoute comme une parole devenue mienne, mon ombre. Écho de brise absente. Attente vaine.

Tous ces après-midi d'été, je couvre de mes maigres branches son rituel, séduit par son indifférence surprenante à tous ces jeunes promeneurs qui déambulent orgueilleusement dans les allées. Comment fait-il pour être si indifférent à la beauté de tous ces corps hâlés, ces baisers enflammés, ces visages qui se laissent caresser par le soleil ?

Je souris de mon voisinage : orangers sous les platanes, miraculés d'une saison, arbres de curiosité botanique, exotisme sans envergure, il y a même un mûrier de Chine, odeurs perdues dans les bruits des sirènes hurlantes, tilleuls odorants parmi les statues : Baude-laire, Flaubert, Verlaine, Stendhal, Beethoven, Delacroix.

Si je pouvais quitter ma caisse, m'arracher les racines, je viendrais m'asseoir à côté de toi, Zadkine, jouer de ta lyre sculptée, Liberté j'écris ton nom, Eluard sourd à tous mes rayons de soleil.

Valencia, Espagne, août 1989

Pour la première fois en Espagne. Comme ce pays est chargé de passé, de souvenirs, d'histoire ! Le sentiment que je vais à la rencontre d'un pays mythifié, de ce qui a rendu le mythe vivant : littérature, histoire, nature généreuse et tolérance légendaire. Et pour ajouter aux émotions, une autre : notre hôte, l'ami écrivain Ferran Cremadès habite le quartier de Ruzafa à Valencia. Je corrige, Ruçafa... Nous sommes arrivés par le train, épuisés après de longues heures de voyage mais les paysages nous faisaient oublier la fatigue. La chaleur à la limite du supportable m'emporte vers des sensations en Tunisie. Annick est déjà au bord de la phlébite ! L'air est chaud, lourd. On suffoque. Je suis heureux d'être ici et un peu déçu des couleurs de la ville. Jaune. Marron. Ocre. Point de ce blanc méditerranéen ni de ce bleu que j'espérais voir. Mais ici ce n'est pas l'Andalousie ni la Grèce !

Calor ! Calor ! C'est le premier mot espagnol que j'apprends tellement il est répété. Pura, de surcroît, est enceinte et toute cette chaleur lourde nous assomme. La sieste est obligatoire mais point de repos ni de sommeil. Nous nous rendons à la mer pour nous rafraîchir.

Surprise : la plage est sale et laissée presque à l'abandon. C'est même dangereux de marcher pieds nus, des seringues utilisées par des toxicomanes sont jetées sur le sable et nous faisons attention à les éviter. Pura marche très lentement à cause de sa grossesse. Ne parle pas français mais le comprend un peu. Elle sourit et rassure. Avec Ferran, les discussions sont animées mais toujours amicales. Le catalan, le castillan, le valencien. Littérature, public, politique, et je retrouve ce tempérament des gens du sud où la littérature est une passion, sujet de débats, de polémiques, de luttes, de querelles idéologiques mais heureusement tout cela reste dans l'échange amical et les règles de l'hospitalité.

Le lendemain

Ferran nous propose d'aller à Al Bufera. Joli coin, dit-il, avec des rizières et des barques. En arrivant je me rends compte qu'il s'agit d'un lac et que le mot n'est qu'une déformation de l'arabe « al-bohayra ». Tout le long de mon séjour à Valencia, j'essayais de retrouver le mot arabe originel sur lequel s'est sédimenté le mot castillan ou valencien, un vrai exercice de linguistique. Il en est des langues comme des civilisations. Il s'agit tout simplement d'interférences dans les lettres qui ne se trouvent pas généralement dans l'un ou l'autre alphabet.

24 août

La visite des arènes de Valencia me remplit de sentiments étranges. Des hommes sont rassemblés et discutent bruyamment avec passion. C'est la première fois que je suis sur le gradin d'arènes... heureusement vides ! Je ne sais pourquoi je pense soudainement à Hemingway et sa fascination pour la mort.

Mais quelle différence avec le Danemark. Je revois ces paysages tranquilles, ces Danois paisibles, calmes. De Copenhague à Valencia, quel changement !

Hier, à travers la fenêtre du train, mes yeux se fixèrent sur le nom d'une station : Benicassim. Et voilà que rebondit dans ma tête tout le passé arabe en Espagne.

25 août

Je suis réconcilié avec Valencia et ses environs. La banlieue est appelée ici village. La visite, à Rocafort, de la maison où a séjourné le poète Antonio Machado est un véritable enchantement. Machado a résidé dans la villa Amparo entre 1936 et 1938 avant de se réfugier à Collioure. J'imagine que cette belle résidence a dû émerveiller des Arabes jamais remis de la perte du paradis perdu : lauriers roses et blancs, bougainvilliers, orangers, jasmins, palmiers, sapins, fontaines et jets d'eau. Mais hélas ! rêveries gâchées par une sono hurlante, diffusant de la musique disco et couvrant le bruit de l'eau !

27 août

Nous visitons Jativa qui s'écrit Xativa en catalan. À s'y perdre. Pour mes souvenirs littéraires arabes, c'est Châtiba. C'est dans cette ville, à cinquante kilomètres de Valencia qu'Ibn Hazm a écrit son *Tawq al-hamâma*, Le collier de la colombe. Ibn Hazm y était en exil en 1027. Il avait trente ans et bien des soucis.

Interdit d'enseigner dans la grande mosquée de Cordoue, emprisonné, ses livres brûlés publiquement à Séville, banni, contraint à l'exil. Et c'est avec tous ces tourments qu'Ibn Hazm rédige son grand livre sur l'amour. Nous découvrons la vieille ville avec ses ruelles et ses maisons peintes en blanc et jaune. Visite de la cathédrale. Jardins, faïences, zelujos, zelliges. Une muraille en haut de la montagne surplombe la ville. Toute cette sérénité est lourdement perturbée par le bruit infernal des motos, des voitures. De vraies algarades déchaînées. Impossibles à éviter.

Le ciel est orageux avec des lumières magiques. Des nuages rougeâtres suspendus comme de la laine, immobiles et cotonneux. Annick lève les yeux et regarde longuement les couleurs, émerveillée pendant que Ferran parle de lumière impressionniste. Je suis, quant à moi, loin, absent. Je pense à l'exil d'Ibn Hazm al Andalusi de Córdoba et son *El collar de la paloma*.

Fin août

Nous rendons visite à des amis de Ferran,

peintres, écrivains. Avec Josep Lozano, je parle du passé arabe de Valencia et de ses auteurs. Cela l'intéresse beaucoup d'autant plus qu'il développe la période musulmane dans son roman *Germania* qui vient d'être traduit en espagnol. Dans la discussion, des titres sont cités, *Libro de la flor*, Kitab al Zahra de Muhammad Ibn Dawud d'Ispahan ; *El libro del huerto* de Ahmad Ibn Farac de Jaén, Lozano me parle des poètes comme Ibn Galib al Ruzafi, Ibn Hafajda d'Alzira. Chaque fois je m'amuse de l'accent et suis tenté de corriger la prononciation arabe.

Retour à Gabès, été 1993

De près, la mer. De loin, la mer. À travers la fenêtre du train qui me prend de Sfax à Gabès, je reconnais tous ces paysages qui défilent devant moi, un à un : champs d'oliviers à perte de vue, eucalyptus centenaires, steppes sous le soleil brûlant, huppes et perdrix se réfugiant dans la moindre ombre. Combien de fois n'ai-je pris ce train, dont la lenteur est salutaire. Retours heureux pour les vacances dans la ville natale, visites des miens, événements familiaux, jeux et souvenirs d'enfance.

Je reconnais ce trajet, pont par pont, oued par oued, arbre par arbre.

Je reconnais ces petites gares blanches dans l'éclat de la lumière, où s'arrête le train pour prendre ou déposer un ou deux voyageurs qui se perdent rapidement dans la vaste et aride campagne.

Je reconnais toutes ces gares, station par station, leurs poivriers sauvages, leurs bougainvilliers, leurs géraniums roses miraculés.

Ici a eu lieu une grande bataille pendant la seconde guerre mondiale. Là, les crues violentes ont emporté la route et le barrage. Au loin, les campements des derniers bédouins, parsemés à travers l'ingrate terre, nomades sans errance.

Pas une fois je n'ai pris ce train sans être gagné par l'émotion. Le train n'a que faire des sentiments qui m'emportent. Il siffle pour l'imprudent berger ou pour saluer un garde-barrière.

Et puis soudain, surgit la palmeraie !

Aux portes du désert, l'offrande. Le train borde la mer. La voie ferrée serpente à travers des milliers de palmiers. L'odeur des plantes se mêle à celle des algues. Sur le sable, les habitants ont laissé sécher au soleil des centaines de jeunes palmes dorées pour leurs vanneries. Des bancs de minuscules poissons, *ouzefs*, brillent avec leurs écailles d'argent. Des madriers et des traverses sont élevés pour empêcher le sable de couvrir les rails. Dans l'ardeur de la canicule vous vous laissez rêver d'une vague dans votre compartiment.

De ma fenêtre, j'aperçois le port, le petit phare, les barques des pêcheurs, les vagues qui surplombent les hôtels, la plage immense, les murs brûlés par le soleil. Nonchalant, comme assoupi par la torpeur, le train pénètre dans la ville-palmeraie, haut le cœur !

Je te retrouve, amie, dans le bruit sonore et cadencé des chevaux tirant leurs calèches en fête, dans les pierres géantes et l'antique cité romaine, Tacapès, mêlées au granit rose.

Je te retrouve si belle, couverte de mille tissus au souk Jara, avec ses monticules de henné, ses encens et ses bijoux légendaires.

Je te retrouve dans le mystère de Aïn Salam, source de paix à Menzel, dans le prestigieux et vénéré mausolée de Sidi Boulbaba, dans ce cimetière imposant, pas loin de la maison familiale, où repose mon père.

Je te retrouve, amie, dans l'oasis de Chenini, où les chemins portent encore les traces de mes petits pas d'écolier, envoûté par ces jardins féeriques, chantés naguère par Pline et Tijani. Ce paradis est mien. S'y enchevêtrent palmiers et grenadiers, vignes et bananiers, pêchers et abricotiers, henné et tabac. Dans la rumeur des ruisseaux, je te revois, dans les étoiles qui me tiennent compagnie, dans la majesté de la nuit.

Plus tard : retours d'exils, retours émus. Traversées du silence, traversées de l'absence. Le train est toujours là, climatisé à vous donner un rhume en pleine canicule. La zone industrielle a dérobé l'eau de la palmeraie. Les palmiers se couvrent de chagrin. L'air retient son souffle. La plage a maintenant une corniche et des lampadaires pour les promeneurs. La mer s'assombrit et vomit ses algues mortes. Il me faudra parcourir des kilomètres, vers El Menara pour te retrouver, mer.

J'irai à ta rencontre et dirai aux vagues ma mélancolie.

Juillet 1995
Dans le train vers Gabès !

Brusquement le train s'arrête. Magnifique champ d'oliviers à gauche. Une décharge à ciel ouvert à droite. Et toujours ces contrastes, ces conflits, ces sentiments brouillés, à chaque retour. L'arrêt du train en pleine campagne n'est pas annoncé aux voyageurs. Longue attente. Interrogations. Dans le wagon, j'aperçois les comédiens Fadhel Jaïbi et Jalila Baccar et leur troupe qui vont jouer à Gabès. Salutations, embrassades et discussions.

Soudain des voyageurs descendent du train pour voir ce qui se passe puisque personne n'est venu informer le public : le train avait tué quelqu'un, un berger imprudent probablement…

Dakar, octobre 2001

Je suis habitué maintenant à ces étés qui parcourent d'autres saisons. Les saisons ne sont pas les mêmes pour tous et certains s'offrent le luxe d'un été, tout le long de l'année, va pour la planète qui tourne mais tourne-t-elle rond ? Va pour les latitudes, mais avons-nous les mêmes rayons ?

Je retrouve l'arbre du voyageur, l'océan, les brumes jaunes, les milans, les bougainvilliers, la nuit africaine. Et toujours cette foule chaotique à l'aéroport, le désordre, l'effervescence, et le merveilleux sentiment qu'ici tout sonne vrai, tout se prend à bras-le-corps, la saison est reine et la vie grouille de mille cris. Tout s'arrache, tout compte. Rien ne se perd, tout se transforme ! Et c'est dans ce tohu-bohu extraordinaire à l'aéroport de Dakar que la surprise est grande : de belles voitures officielles, des limousines noires attendent les poètes venus pour un congrès de la paix. Ils sont là : Kourouma en grand frère, Luis, Babacar, Chems, Jean, Kama, Lamine... Honneur aux poètes ! Deux invités par voiture, s'il vous plaît, nous dit le chauffeur. C'est le protocole. Nous comprenons qu'il s'agit de voitures de la présidence. Luis sourit malicieusement. Nous n'avons pas l'habitude de tout ce confort. En voilà un accueil, digne des grands de ce monde ! Un tel luxe inattendu, presque insolent par ici. Mais nous n'allons pas refuser cet honneur et rejoindre l'hôtel dans des taxis-brousse tout de même ! Pourquoi les poètes devraient-ils jouer aux misérables et souffrir le martyr continuellement ? Des voitures offertes par le royaume d'Arabie Saoudite, nous apprend-on. Je suppose qu'elles sont d'occasion mais n'allons pas être si exigeants, rires et complicités, étonnements et interrogations. Nous nous dirigeons dans un vrai cortège officiel vers l'Hôtel Méridien. Je suis pensif et hébété. Sommes-nous pris dans un piège ou dans une situation peu claire. À vrai dire, les événements ont précipité l'invitation et la politesse voudrait que l'on soit à la mesure de l'accueil. Sur le bord de la route, les villas imposantes et arrogantes. Grosses cylindrées et gardiens dehors. Folie des grandeurs et odeurs de corruption. Ce côté de la ville m'avait échappé au premier voyage et l'arbre du voyageur peut venir à mon secours car j'ai soif et la halte vaut le détour. Je ne sais si notre parole va pouvoir quelque chose pour la paix mais tout cet accueil en grandes pompes nous laisse pantois et nous ne saisissons pas très bien la situation, en tout cas, moi personnellement.

Doëlan, été 2004

C'est l'été ! Je suis heureux de me retrouver en face de l'océan, immense, imposant, changeant. Le large après l'enfermement parisien. Sans tintamarres ni obligations. Loin, parmi les champs de blé et de maïs, les pommiers et les chênes, les châtaigniers et les noyers... Des voiliers parsemés ici et là dans l'éclat de la lumière et des bateaux colorés, de retour au port après avoir déposé leurs filets. Quand ils reviennent chargés de leur pêche, ils sont poursuivis par des dizaines de mouettes et de goélands, voltigeant, criant. Je regarde. J'écoute. Il y a à Doëlan, ce petit port en Bretagne du Sud, comme des leçons de choses. Apprendre à aimer la nature, à chaque heure de la journée, à chaque instant. D'abord la lumière. Changeante, belle et indomptable. Difficile d'imaginer ici que la saison porte le même habit toute la journée. Les ciels vous emportent pour les quatre saisons, dans la même heure presque. De surprise en surprise, il vous faut être aux aguets du moindre changement de couleur de la mer, scruter l'horizon, lever les yeux. Ici, le vent ne fait pas que passer. Il fait courber les cyprès, les taille à sa façon. Contre lui on se protège de haies de fusain. Cet arbuste robuste sert de muret, il protège comme la pierre de granit.

Je prends l'habitude de me promener sur le chemin côtier qui longe le port. Annick retrouve ses paysages, ses lumières, ses souvenirs, ses émotions, à Paris elle peint comme par nostalgie première cette nature qui lui manque, les couleurs tant aimées comme pour conjurer le sort, la peinture comme remède à la ville. Le soleil sur la ria est insaisissable. Il se laisse voir à travers des centaines d'arbres et plantes de toutes sortes. Combien de fois me suis-je arrêté pour mieux regarder telle ou telle plante, tel arbre ? Noisetiers, mûriers sauvages, orangers du Mexique, rosiers, chèvrefeuilles, orties, romarins, frênes, lierres, pruniers, sureau, lavande. L'été a fait tomber les aiguilles de pin sur lesquelles je marche avec bonheur, comme sur un tapis, elles remplissent mes poumons de leur odeur résineuse. Les hortensias bleus, mauves, roses au-devant des maisons aux toits d'ardoise, les fenêtres bleu ciel, bleu marin, ouvertes, persiennes contre le mur. Le chemin est ombrageux, je traverse quelques minuscules sources qui viennent se jeter dans la ria. Humidité. Fraîcheur. Parfois comme un enfant je ramasse un champignon ou une pomme de pin, un gland de chêne ou une noisette, persuadé qu'elle est pleine, je cueille les mûres sauvages ou des pommes acides. Rousseau eût été si heureux parmi ces feuillages ! Les arbres me couvrent et je pense, je ne sais pourquoi soudainement à la palmeraie natale de Chenini, à ses jardins, où j'ai vécu petit. Un paradis en remplace-t-il un autre ou est-il perdu à tout jamais ? L'enfance ne revient jamais et adulte nous ne faisons que tenter de la retrouver, lui courir après, nostos, nostalgia ! Non, ici tu es loin du désert, bien loin des palmiers et les bonjours et bonsoirs des promeneurs te rappellent que cet été encore, tu es au pays des Celtes. En face de l'océan, le vaste et vieil océan. Bruyère. Lande. Fougère. Et des rochers escarpés, là pour accueillir les milliers d'oiseaux, leurs pauses, leurs envolées, leurs cris, leur liberté. Le quai du petit port, en réalité une jetée, est transformé à l'occasion par les enfants en plongeoir. Cris, sauts, bonheurs, exploits parmi les pêcheurs à la ligne, imperturbables, rarement un poisson est attrapé, mais peu importe, ce sont les vacances, c'est l'été !

Tahar Bekri vit à Paris où il est maître de conférences à l'Université de Paris X-Nanterre. Poète, essayiste, il a publié une vingtaine d'ouvrages dont les plus récents sont L'horizon incendié *et* La brûlante rumeur de la mer, *recueils de poésie (éditions Al Manar - Paris). Sa poésie est traduite dans différentes langues, anglais, russe, italien, espagnol, turc.*

Colette Fellous

L'ÉTÉ SUR LE BOUT DES DOIGTS

Sur la Terrasse du Mégara
un Jour de Juillet.

On écrit, on court, on met de la musique, on reconnaît les accords de Monk ou de Schubert, on se jette dans le vide, on y revient sans cesse, c'est plus fort que tout : on adore y revenir. Là, précisément. Au bord de l'été. Comme à la source. On galope, on parcourt des kilomètres de dunes et de plaines, on arrive toujours presque hébété là où on ne savait pas encore pouvoir arriver. Regardez comme ici tout est simple, comme tout est éblouissant, nous dit le jour, en nous invitant à entrer. Regardez les lignes, les couleurs, la matière de l'air, le bruit des pas, la démarche des enfants, la forme des yeux, le battement des questions. Regardez lentement, c'est très important pour comprendre. Trouvez votre propre rythme, ne vous souciez pas du regard des autres.

L'été dans ce récit n'aura pas d'âge. Il restera suspendu à jamais dans nos mémoires zébrées, bariolées, travesties. Une chose est sûre, il nous a, malgré nous, éclairés par sa nudité et sa lucidité et nous avons beaucoup de mal à nous remettre de cette expérience. Aujourd'hui, le monde n'est pas toujours à l'été, je veux dire qu'il n'est pas ce que l'été nous avait promis qu'il serait. Nous sommes déchirés, brûlés, vidés. L'été, nous l'appelons à la rescousse.

C'est curieux, quand je commence à écrire, comme ce soir tout au bord de la neige et de la forêt de Lyons, et que ma voix ressemble presque à un chuchotement, oui, quand je commence à écrire, comme d'autres soirs, cachée dans une chambre de Lisbonne ou de Séville, je sais que toujours, par-dessus mon épaule, l'été est là, qui m'accompagne et me regarde. Il y a un secret que lui seul sait tenir et c'est ce secret qui me fait avancer, qui me donne l'élan de vivre, de recomposer encore et toujours ce dont j'ai été témoin. L'été est avant tout un langage, il a ses codes, ses rites, ses règles, ses exceptions. Je le connais sur le bout des doigts, car il est venu à moi très simplement, sans effort. J'étais chaque jour au rendez-vous. J'arrivais vers neuf heures, toujours seule, le ciel était blanc, les barques renversées sur la plage, dans un splendide silence. Vers dix heures, les autres apparaissaient, peu à peu, par petits groupes. Les voix, les rires, les ballons, les claquements des corps dans l'eau, les regards silencieux, les jeux, les secrets, les rencontres impossibles, les rêves de cinéma, les petites blessures, la soif, le sel des cacahuètes, le ciel. Je regardais, j'étais à la fois avec eux et sans eux, ce que j'aimais surtout, c'était voir comment se succédaient ces jours découpés dans l'été, comme s'ils formaient les coulisses de nos vies, pas nos vies. Je savais qu'ils resteraient immobiles, intacts, suspendus à jamais. Ils étaient nos gardiens. De début juillet à la fin septembre, l'école de l'été ne fermait jamais, c'était une séance permanente.

C'est peut-être bien son métier à l'été de rester ouvert, de nous éveiller, de nous marquer. Regardez : nos corps sont tous cousus au point d'été. Notre peau, notre visage, nos yeux, nos rêves. Minutieusement, pore à pore. La trace de l'été y est inscrite, au plus intime. Elle restera sur nous presque tout l'hiver, comme une doublure du temps. Écrire, c'est toujours revenir et revoir. C'est revisiter nos premières fois, nos premiers étonnements, nos premières découvertes, nos premières peurs. C'est faire le tour de notre mémoire, comme on ferait le tour des plages. C'est marcher pendant des heures infinies sur le même sable, c'est laisser son pied se creuser au bord de l'eau, c'est disparaître et se fondre dans la mer, c'est ne plus chercher la frontière entre le ciel, la mer, la plage, c'est être extrêmement patient devant chaque goutte de sueur, c'est retrouver l'odeur inédite de chaque été. Comme si, à chaque fois, c'était la première qu'on rencontrait. Par exemple, si j'appelle maintenant le mot « été », je laisse aussitôt s'engouffrer dans ce récit cette odeur étrange et indéfinissable qui se présente dès qu'on pose le pied dans cette magnifique villa qu'on nous propose de visiter, près des thermes d'Antonin, un jour de juin, dans la matinée. Les dalles noires et blanches, les colonnes, les balustrades de la véranda, l'odeur de ciment frais dans le salon, les carreaux et les mosaïques, les petits bancs de pierre dans le jardin, avec la grande découpe de la mer au bout du chemin (je rechercherai désormais à revivre ce moment et dans toutes les maisons que j'ai habitées, j'ai fait en sorte que quelque chose me le rappelle, une couleur, une voûte, un motif du carrelage, un bougainvillier en pot, une lanterne de fer forgé). La maison est vide, on ne sait pas encore qui va l'habiter, j'ai le vertige, j'ai envie de rester là, au bord de l'été, avant l'heure du plein battement, on est encore au début du mois de juin, la lumière est si fragile, les hirondelles s'amusent à rôder dans le ciel.

Oui, je voudrais rester là et attendre. Regarder, retrouver. Je sais que la lumière deviendra infinie, qu'elle saura éclairer chaque grain de sable comme s'il contenait une vie entière, mais je sais aussi qu'elle sera implacable et violente. L'été est une secousse qui dit toujours la vérité, qui ne triche pas, qui trouve les mots crus. Un jour, j'irai tout droit, sur la route, je dépasserai Gammarth et Raouad, je marcherai sans m'arrêter, je ne poserai aucune question, je m'entêterai à franchir les mers et les pays, et à force à force, je sais que je rejoindrai l'autre côté de la terre. C'est ce que je me disais à l'âge où on se fait mille et cent promesses, quand le corps est encore tout petit et qu'il se laisse rouler dans la dune presque jusqu'à la route, petit corps en boule qui se fabriquait en même temps l'espace et la matière de sa mémoire, accrochée à sa terre natale comme au corps d'une déesse païenne. Le sable était vierge, inouï de beauté. Gammarth. Pas de vent, le paysage était une caresse. Je découvrais, au centre de l'été, la splendeur d'être au monde et l'amitié indéfectible de la nature tout entière. Et avec elle, l'amitié de tous ceux qui y vivaient. Il y a du jeu entre les choses, me chuchotait l'été. Regarde encore, il y a tant d'espaces libres entre les mots et la réalité, tant de silences à combler, tant de destins à inventer. Cueille-les, éduque-les. Je levais la tête, je cherchais un visage, je cherchais d'où pouvaient venir ces voix disséminées dans la nature qui m'apprenaient à regarder. J'étais grisée, je découvrais la solitude, le bonheur de réfléchir. Cette scène ordinaire, par exemple, si je ne la garde pas en moi, si je ne la fais pas grandir dans mon corps, qui à ma place lui donnera vie, lui donnera voix ? Au bord de la dune de Gammarth, on aurait dit que les questions poussaient à même le sable, il n'y avait qu'à les cueillir. À quoi ressemble la plage quand tout le monde dort et qu'il n'y a plus personne pour la regarder ? Où est la frontière entre ce que je vois et ce que je dis ? Entre le visage que je regarde et le mien ? Entre cette bouteille de Boga et le mot qui la désigne ? Je découvre tout à coup qu'être attentif, c'est s'abandonner à la plus extrême distraction, c'est faire entrer dans sa danse tous les éclats et toutes les associations qui viendraient s'imposer de façon aléatoire. Là où d'ordinaire, on installait un voile pour freiner l'imagination ou pour apprivoiser sa liberté, la dompter, lui installer des remparts, ici, dans le temps de l'été, au contraire, le voile était écarté et les heures filaient dans ce qu'elles avaient de plus brûlant à vivre.

Je m'arrête encore dans l'été. Une allée de mimosas, un chemin rouge, la mer est derrière la route, on entend le train s'éloigner. À partir de ce point du temps, chaque seconde devient alors tellement ample, elle bruisse, brûle de se nommer, elle veut me montrer quelque chose, viens plus près, je vais t'expliquer, viens, montons sur la terrasse. Et là, dans l'après-midi, au centre d'un monde vide, je regarde le secret cheminer des lèvres d'une petite fille vers mes yeux étonnés, vers ma peau, vers ma robe à bretelles, vers mon corps cousu au point d'été.

125

Avec la trace blanche du maillot. Comme tout est resté intact, ne bouge plus, écoute encore le battement du temps. C'est une villa de la Marsa, à l'heure de la sieste. On a toutes douze ou treize ans, on forme des petites bandes de filles et quand on revient de la plage, on n'aime pas faire la sieste, on se donne des rendez-vous, on va chez l'une ou chez l'autre, on chuchote pour ne pas déranger la sieste des parents, on découpe des tranches de pastèque, on invente des recettes de yaourts bourrés de grains de raisins épluchés, on brode avec de la laine rouge des bateaux et des soleils sur nos espadrilles de toile bleu marine, on met de la musique mais très doucement, retiens la nuit dit la chanson.

Je suis invitée ce jour-là chez une autre bande, je ne connais que la petite Claudine qui me guide, comme si j'étais à l'étranger, viens, c'est par là, tu vas voir c'est une très belle maison. Elle est bien décidée à me faire découvrir un autre monde qu'apparemment je ne connais pas. Je ne comprends pas ce qu'elle veut insinuer, je la suis, j'ai confiance, j'aime son sourire et l'odeur de sa peau. Je traverse un jardin, un patio, un couloir, une autre pièce très vaste, la maison sent la fraîcheur d'un sol

qu'on vient de laver, une porte s'ouvre, les
rideaux sont tirés, je ne vois d'abord que des
formes se déplacer très lentement, il faut que
mes yeux s'habituent à l'obscurité, il fait près
de quarante dehors et dans la chambre tout
est si frais, viens, n'aie pas peur, entre me dit
la petite Claudine, tu peux te mettre toute
nue, on est entre nous. Je découvre les rires
des filles, leur nudité, leur façon de s'esclaffer
et de cacher leurs rires, leurs cheveux longs et
bouclés, je découvre les traces blanches laissées
par les maillots et leurs yeux gourmands, elles
se cachent et me tendent les mains, viens, il
n'y a personne aujourd'hui, tu peux jouer avec
nous, viens. Mais je n'ai pas envie de rester
dans cette chambre, la grandeur de la lumière
me manque, je l'appelle au secours, je dis que
je préfère rester dehors, que je n'ai pas envie,
je comprends avant de comprendre, je recule,
mais si vous voulez j'attendrai sur la terrasse
je leur dis, on se retrouvera tout à l'heure ? Je
remarque la couleur rouge pourpre des rideaux,
les losanges orange du tapis, les croisillons des
fenêtres, les tables bleues, j'emporte tout avec
moi mais je ne veux pas appartenir à cette scène,
je mets du jeu entre elles et moi, je m'écarte, je
fixe la petite ligne de soleil qui s'entête à s'infil-
trer entre les lattes des persiennes, je m'accroche

à elle. Elle sera pour moi définitivement la couleur de ce jour d'été. À la frontière du dedans et du dehors. Il est si singulier ce goût resté dans mon corps, dans mes yeux. C'est maintenant là-haut, dans la brûlure du soleil de la terrasse, que la petite Claudine m'a ouvert les yeux, comme elle aimait répéter. Elle parlait très lentement, avec la voix d'un médecin qui ne veut pas heurter son patient pour lui annoncer que sa maladie est bien grave mais qu'il va devoir l'affronter, elle disait que depuis toujours c'était comme ça que les hommes et les femmes faisaient avec leurs corps et que nous étions nés de ces gestes, qu'il ne fallait pas avoir peur, que nous, entre petites filles on ne faisait que répéter ces gestes et que c'était plutôt rigolo. Je regardais les mots s'en aller de sa bouche et la chaux sur la terrasse qui s'en allait par plaques. Elle me caressait les cheveux en parlant, je la laissais faire, tout m'étonnait et en même temps je m'abandonnais, j'étais absente. Je suis restée très silencieuse, très attentive, je ne voulais rien croire de ce qu'elle décrivait, mais je l'écoutais gravement. Je ne vois plus rien de la suite, l'image s'arrête là, pellicule cassée, déchirée. Rien qu'un moment-frontière découpé dans la brûlure de l'après-midi. Je ne les ai jamais revues, ni la petite Claudine ni les autres, je me sentais ridicule de ne pas avoir osé jouer avec elles, mais j'ai retenu la beauté du moment, le mélange de l'ombre et de la lumière, la brillance de la vérité, la candeur de leur désir, la noblesse du paysage autour qui semblait accompagner l'annonce de ce secret, qui battait jusque dans mes tempes, en silence. Le fait de le revivre aujourd'hui en l'écrivant, tout au bord de la neige et de cette forêt de Lyons me fait battre encore le sang : comme tout est resté intact me souffle la neige, souviens-toi aussi de ces chants de petites filles qui venaient de l'orphe-linat, juste en face de ta villa de l'Aéroport, comme tu les guettais en tremblant à la fin du jour et comme tu pensais qu'elles étaient tes sœurs, qu'en toi aussi sans doute il y avait une partie orpheline, la certitude de ce sentiment qui montait jusqu'aux yeux et qui te faisait pleurer, tu ne savais pas pourquoi. Elles étaient de l'autre côté de la route, tu ne les voyais pas, mais leurs voix dépassaient le mur de leur grande bâtisse, de temps en temps tu apercevais un tablier rose, tu aurais voulu tendre la main vers elles, elles étaient loin et près, c'est ce que tu as retenu.

Je voudrais enfin, au bout de ce récit sans âge, que la musique de l'été, celle de Monk ou de Schubert, me rapproche encore une fois de ces chants, qu'elle me fasse retrouver la naissance de tous ces sentiments, la lumière d'un secret, la couleur d'un pays, la matière tactile du monde.

À dix-sept ans, Colette Fellous quitte la Tunisie où elle est née, pour s'installer à Paris. Depuis 1980, elle est productrice sur France-Culture et dirige actuellement l'émission "Carnet nomade". Elle est l'auteure d'essais et de romans. Ses deux derniers livres, Avenue de France *(2001) et* Aujourd'hui *(2005) se font écho et sont tous deux parus chez Gallimard. Elle dirige également la collection "Traits et portraits" au Mercure de France.*

Alain Nadaud

EN SUIVANT LES SENTIERS DE LA FORÊT DE GAMMARTH...

Entre les eucalyptus et
les mimosas...

Chaque matin, je marche en solitaire, la tête à rien, en suivant au hasard les sentiers entrecroisés de la forêt de Gammarth…

Cette forêt est une forêt tantôt sévère, tantôt aérée et disparate. Quand on vient de la Marsa, elle s'étend après qu'on a dépassé l'emplacement des vergers de l'ancienne Mégara, ultime faubourg de Carthage. Pour en avoir une vue d'ensemble, il suffit de suivre la route qui escalade à l'oblique le versant de la dune, chaque année un peu plus raviné par les pluies. De son sommet, au-delà de l'uniformité moutonnante des arbres, et sur un horizon barré à l'ouest de falaises crayeuses, on aperçoit la dépression au fond de laquelle miroite, aux lueurs du couchant, la lagune du Chott el Ghaba.

Si la forêt de Gammarth se développe en parallèle à la côte, elle ne commence vraiment qu'à quelque distance du rivage, qui est à cet endroit composé de caps, de courtes falaises, puis de l'immense plage de Raoued. Une lande d'une centaine de mètres de large couvre cette zone inculte, où ne survivent que des épineux battus par le vent et des arbustes que le sel des embruns de l'hiver a contribué à défeuiller.

La forêt de Gammarth est une forêt saine à cause du sable où elle a pris racine, qui absorbe, aussitôt que tombées, les pluies même les plus abondantes. Elle est en majeure partie constituée d'eucalyptus : les uns, recouverts d'une peau mince et blanche, presque argentée, semblable à celle des platanes, et qui se décolle comme la peau des serpents à l'époque de la mue ; les autres, lézardés de gros morceaux d'écorce qui, dans leurs boursouflures, conservent l'humidité par en dessous. Bien que séparés du tronc, ceux-ci continuent à y adhérer grâce à cette pourriture qui, à la longue, forme une pâte visqueuse qui les empêche pendant un temps de tomber. Mais, à mesure que s'installe l'été, elle sèche et se transforme en poussière. N'étant plus retenus par rien, ces épais lambeaux d'écorce alors se détachent par plaques. Comme de vieux vêtements, ils jonchent le sol au pied des arbres, où ils achèvent de s'enfoncer, se mêlant au sable du sentier en laissant de longues traînées filandreuses et noirâtres.

À ces eucalyptus se mêlent d'énormes mimosas, en recherche perpétuelle de lumière, et qui, pour y accéder, se tordent en tous sens à travers le sous-bois. Au printemps, ils s'arrondissent en une boule d'innombrables et minuscules fleurs jaunes, dont le parfum, confiné dans le creux de clairières abritées du vent, en devient presque étourdissant. On y suffoque.

En d'autres endroits, les essences changent complètement. Hormis les bosquets d'oliviers sauvages et, presque incongru au milieu des broussailles, le surgissement inopiné d'un cactus ou d'un figuier de Barbarie, parfois les feuillus laissent place à d'immenses étendues de pins, plutôt rabougris et de taille médiocre. Ils croissent si serrés que le soleil ne pénètre plus dans le sous-bois et que rien ne pousse à leur pied ; aussi leur ramure ne verdoie-t-elle qu'à l'extrême de leur crête. Leurs branches grises et mortes sur les trois-quarts de leur hauteur sont constellées de myriades de petites pommes de pin, dont on entend les écailles craquer quand la température s'élève. Lorsqu'on marche en silence, on les entend de loin se détacher avec un claquement sec qui fait dresser l'oreille ; elles tombent sur le sol tapissé d'épines avec un imperceptible bruit d'étoffe.

139

Dans les parties les plus exposées au soleil, une vibration métallique et lancinante vous précède, que vous désespérez d'atteindre : elle se dérobe en effet à mesure que vous progressez entre les troncs. Invisibles, les cigales font silence à votre approche pour reprendre leur activité de plus belle dans votre dos. Leur chant vous enserre comme si vous étiez au centre d'un disque de crissements, d'une vague sonore qui donne l'impression de se déplacer avec vous et de se maintenir à distance. Lorsque vous avez quitté la zone et laissé ce vacarme derrière vous, alors ne subsiste plus, tapie dans les fourrés qui bordent le chemin, tantôt proche et tantôt lointaine, mais tout aussi insaisissable, que la stridulation mélancolique d'un grillon.

Sous le couvert aride de la forêt de Gammarth ne poussent que de fines graminées dont les mille petits plumets ébouriffés s'inclinent par vagues lorsque le vent se lève. Ceux-ci forment à perte de vue un ondulant tapis vert tendre... À la fin du printemps, quand ils sèchent et blanchissent, ils ressemblent à une couche de flocons mobiles, restés en suspension, qui se meuvent à une égale hauteur par rapport au sol. Pour peu que le soleil pénètre à cet instant à l'oblique dans le sous-bois, ils accrochent la lumière, s'irisent – et c'est la forêt tout entière qui s'illumine, prend un aspect irréel, presque féerique.

À mesure que l'été progresse et que la chaleur gagne en intensité, d'imperceptibles modifications altèrent l'aspect de la forêt, qui lui donnent un air hirsute. Ça pique, bruisse, se hérisse, et craque de partout. Les fleurs flétries aussitôt montent en graines. Des sortes de genêts, qui croissent par buissons touffus, se couvrent de groseilles rose pâle et transparentes, que je me garderai bien de porter à la bouche. D'un jour à l'autre surgissent, puis disparaissent, de longues tiges rêches munies en leur extrémité de petites fleurs d'un bleu intense, presque violet, qui tranche par rapport au sol où, sans plus de force, se sont affaissées les herbes mortes. On voit aussi paraître les ombrelles blanc cassé des asphodèles, proliférer des touffes frêles et clairsemées qui ressemblent à l'asparagus. Les ronces profitent de ce que la croissance de la végétation alentour est au ralenti pour lancer leurs bras griffus à l'horizontale ; elles accrochent le bas du pantalon au passage. Le sous-bois s'éclaircit. Des arbustes, que leurs feuilles ont abandonnés, se vengent de leur temporaire agonie en dardant à votre encontre de longues et redoutables épines.

Les sentiers, au sable d'habitude bien tassé

par les pluies qui tombent en abondance pendant l'hiver, deviennent alors meubles et malaisés à parcourir. Quand on remonte le long des pentes, le pied s'y enfonce. La marche en devient pénible. Le souffle se fait court. L'air est sec. On respire mal. Le sol se couvre de brindilles et de branches cassées. Les mousses dans leur creux perdent toute élasticité. L'humus lui-même se tasse et s'effrite, laissant affleurer à l'horizontale les racines rectilignes des eucalyptus les plus proches, qu'il faut à présent enjamber pour ne pas s'y prendre le pied. Une fine poussière s'élève et demeure en suspension au ras du sol, qui se recouvre peu à peu de leurs feuilles effilées. Car, aussi bizarre que cela paraisse, on dirait que c'est en été, et par pans entiers, que sèchent et tombent les feuilles des mimosas et des eucalyptus. Une fois à terre, très vite elles se recroquevillent et prennent une teinte de bronze, proche de la rouille ; on les dirait carbonisées. Véloces entre ces feuilles, quelques lézards noirs, en s'enfuyant à mon approche, y font un raffut de tous les diables.

À la faveur de la nuit, des araignées tissent leurs toiles invisibles d'un arbre à l'autre. Impossible d'y échapper. À peine a-t-on le temps d'apercevoir un vague éclair de lumière le long d'un fil en travers du chemin : trop tard, on est déjà dedans ! Elles s'étirent et craquent quand on s'y empêtre, avec un bruit de soie que l'on déchire. Leurs filaments poisseux m'enserrent dans un impalpable filet dont le contact me dégoûte. Et j'ai beau me passer le plat de la main sur le visage, le cou et le dessus des bras, je garde la désagréable impression de ne jamais réussir à m'en débarrasser tout à fait. Cette répulsion s'est doublée d'une relative frayeur lorsqu'il m'est récemment arrivé de surprendre l'une de ces araignées, au centre de sa toile : noire, abdomen gros comme une noix, pattes velues armées de griffes, affairée autour de ses cocons. De même, quelques jours après le début de l'été, le sentier se creuse d'inquiétants et parfaits entonnoirs. Tout au fond de ces cônes dépassent les deux pinces de l'insecte qui s'y est enfoui et qui demeure à l'affût, prompt à bombarder de grains de sable, à faire trébucher et à saisir la fourmi qui aurait eu l'imprudence de passer à proximité de ses pentes.

Lorsque le vent vient de la mer, la forêt s'empresse de capter l'humidité, qui se dépose sur les feuilles en larges gouttes pendant la nuit, tombe au sol à l'aube, puis s'évapore dès qu'apparaissent les premiers rayons du soleil. De loin, la brise porte le bruit des vagues sur les rochers, ainsi que les cris des enfants qui jouent à s'éclabousser au bord de l'eau. Du haut de la dune, qui permet d'apercevoir la plage en enfilade, j'observe un moment les baigneurs sous leur parasol, des gamins qui courent après un ballon, les graciles et gauches adolescentes que leur corps à demi nu embarrasse. À l'écart, près des roches qui affleurent et dans l'eau jusqu'à mi-cuisse, un pêcheur, d'un geste souple du bras, lance loin au-devant de lui l'ample corolle de son carrelet...

Mais lorsque le vent tourne au sud et que se met à souffler le sirocco, la forêt se replie sur elle-même. Sous la chaleur écrasante, elle ne bouge plus, fait le gros dos. On dirait qu'elle s'économise. Elle tente ainsi de ralentir le processus du dessèchement inéluctable qui la menace. Contrainte d'exhaler le peu d'humidité qu'elle recèle, elle libère de puissantes odeurs de terre et de feuilles, de résine, de racines pourries et d'excréments, de fleurs depuis longtemps fanées, de fruits racornis. Les troncs morts qui, en certains endroits, comme victimes d'une commune fatalité, se dressaient par douzaines et tendaient leurs rameaux blanchis au-dessus des autres arbres, prennent des poses implorantes. Les trop jeunes arbustes, pris de langueur, s'affaissent mollement en travers du chemin.

En général, deux ou trois jours plus tard, le soleil se voile. Le ciel n'est plus tout aussi bleu, il vire au gris. Au contact de la masse plus froide de la mer, le vent brûlant fait se lever des brumes, qui se transformeront en nuages dont on ne distingue pas encore bien les contours, si ce n'est qu'ils assombrissent peu à peu l'horizon. On les voit à mesure, et alors même que le vent est tombé, prendre du volume, gagner en altitude, se rapprocher en devenant noirs et grondants. Au début de septembre, ils donneront naissance aux tout premiers orages.

Débouchant à l'extrémité du sentier, juste sur le haut de la dune qui, à l'orée de la forêt, surplombe la côte à hauteur de la crique appelée « baie des Singes », j'étais tombé en arrêt devant un spectacle dont la splendeur me cloua sur place. Je me rappellerai longtemps la lumière qui irradiait sur la mer en cette fin d'après-midi. Le panorama qui s'étendait devant moi était semblable à ces tapis, qu'on appelle kilims, composés de suites de bandes de couleurs vives, aux contrastes violents. Car, de la même façon, le paysage se déclinait, de haut en bas, et sur toute la largeur de l'horizon, en une succession de rayures parallèles, parfaitement délimitées. D'abord, sous le blanc mat et bourgeonnant des *cumulo nimbus*, la traînée bleu ardoise, puis noire de suie, de l'orage en train de foncer sur nous ; du morceau de ciel clair, resté coincé entre les nuages et la mer, ne subsistait plus qu'une mince couche d'un bleu lumineux, presque turquoise, qui ensuite faisait place aux irradiations rose fuchsia, tournant au rouge sang, du soleil, dont le disque était tranché net par l'implacable tracé de la ligne d'horizon ; en deçà se superposaient, nettement délimitées, d'autres bandes d'égales épaisseurs : au large du cap de Raf-Raf, la surface de la mer demeurait bleu cobalt, à peine mouchetée du blanc des brisants, pour virer ensuite au vert émeraude dès que la falaise de Ghar el Mellah la mettait à l'abri du vent ; ses eaux tournaient alors terre de Sienne et ocre à cause du sable que les courants brassaient à l'approche du rivage ; puis elles devenaient laiteuses du fait de l'écume que formaient les rouleaux cylindriques qui s'y écrasaient l'un après l'autre ; enfin, la plage elle-même formait comme un ultime bandeau jaune vif. À peine ces couleurs furent-elles parvenues à leur maximum d'intensité que leur éclat se ternit, que le ciel s'assombrit, et que tout bascula dans la brutale opacité de la nuit.

La forêt se doit donc de tenir bon jusqu'au milieu de l'automne. Sauf si, à la faveur des grandes marées d'équinoxe, s'abattent des pluies torrentielles qui brouilleront, sous d'erratiques coulées de terre et de feuilles mêlées, le répertoire habituel des sentiers, les pluies ne seront jamais qu'épisodiques et médiocres. Il y aura bien, éparses, quelques lourdes gouttes, qui ponctueront le sable d'un minuscule cratère ; avec un son mat, la poussière pouffera autour de chaque point d'impact. En réalité, elles attiseront la soif plus qu'elles ne l'étancheront. Bien qu'avide, la végétation n'en profitera pas. Juste de quoi faire surgir de vagues relents de menthe et de jasmin, monter de la terre de larges bouffées de chaleur et de fraîcheur alternées. Il lui faudra surtout prendre garde à la brutalité des orages secs, qui se contentent de soulever les feuilles mortes et qui tournent en vain sur eux-mêmes, sans éclater. Leurs éclairs sont particulièrement intenses au voisinage de la mer. Ils se succèdent parfois la nuit durant de façon si rapprochée qu'on pourrait aller et venir dans la forêt comme en plein jour. Rien de plus dangereux que de s'y habituer au point de les supposer inoffensifs : c'est à ce moment-là qu'ils frappent.

Grâce à la proximité des vagues, dont le bruissement sert de repère, il est impossible au promeneur de se perdre dans la forêt de

Gammarth. D'autant qu'elle est sillonnée de sentiers innombrables qui pénètrent jusqu'en ses parties les plus reculées. Ces sentiers bifurquent et s'entrecroisent en formant des sortes de losanges. Jamais en effet ils ne se coupent à angle droit. Ils sinuent soit pour contourner les tertres et les taillis, soit pour suivre les lignes d'un imprévisible tracé. S'ils semblent savoir où ils vont, en revanche c'est au gré de leur humeur fantaisiste, et plutôt vagabonde, avec les mêmes circonvolutions que celles de mon chien, qui va et vient, le nez au sol. En dépit de ma curiosité, je ne les ai pas tous arpentés, loin s'en faut, car certains sont difficiles à repérer, à peine marqués par une sente d'herbes couchées, jonchée de brindilles. On les devine, et même on les pressent plus qu'on ne les suit ; et on les quitte sans toujours s'en rendre compte. Mais, le plus souvent, ils sont bien délimités. J'en ai parfois découvert d'inédits, qui étaient larges et confortables, s'ouvrant par tout un jeu d'ombres et de lumières sur des perspectives inattendues, et cela dans des zones que je croyais pourtant bien connaître. L'espèce d'allégresse que j'en ressentis sur le coup m'autorise à jurer qu'ils n'existaient pas la veille ; alors que, le lendemain, malgré toutes mes recherches – et j'ai eu beau revenir plusieurs fois sur mes pas ! –, je ne suis jamais parvenu à en retrouver la trace.

Ces sentiers ont-ils été ouverts par les hommes ou par des animaux ? Je ne saurais le dire… Car, bien que m'y promenant presque tous les matins, je n'y ai jamais croisé ni aperçu quiconque. En tout cas, les pas qui les foulent empêchent la végétation qui croît sur leurs bords d'en reprendre possession. En bonne logique, lors des matins lumineux qui succèdent aux pluies, j'aurais au moins dû apercevoir des traces de semelles, fraîches et bien imprimées sur le sable mouillé. Or, à peine ai-je jamais distingué, ici ou là, que des empreintes de pattes de tourterelles – qu'il m'arrive parfois de surprendre dans un battement d'ailes au détour du sentier –, de griffes laissées par des groupes de chiens errants, ou celles, semi-circulaires et profondes, de sabots de chevaux qui les prolongent d'un chapelet continu de crottin.

Peu ou presque pas de chants d'oiseaux dans la forêt de Gammarth, qui reste la plupart du temps silencieuse, ce qui ajoute à son mystère : hormis la mouette criarde qui, tout là-haut dans le ciel, s'empresse de regagner la mer, je l'ai dit : une ou deux tourterelles argentées, quelques moineaux tourbillonnants et furtifs, et d'autres, à longues queues, qui ont élu refuge sur les plus hautes branches des arbres morts ; comme pour donner l'alerte, ils caquètent à mon approche, et claquent du bec avec furie... Nul écho lointain d'un coucou, par exemple ; et, la nuit, rares sont les hululements plaintifs du hibou ; aucune frappe retentissante du pivert contre les troncs, pas non plus de lapins bondissant entre les broussailles. L'absence de terriers ne cesse d'ailleurs d'étonner dans une zone aussi sablonneuse alors que, à la fin de l'été, fraîchement écloses, les taupinières y prolifèrent.

Sauf en de rares endroits où les troncs des cassants eucalyptus, aux racines brisées net, ont été jetés à terre par les tempêtes de l'hiver et favorisé la prolifération des buissons et des ronces, on peut sans crainte s'écarter des sentiers et couper au plus court à travers le sous-bois. Alors que, à votre approche, des nuées de sauterelles s'égaillent en tous sens, branchettes, coquilles blanches d'escargots, pommes et aiguilles de pin, graines coniques d'eucalyptus, feuilles et herbes sèches y crépitent sous la semelle. On ne tarde d'ailleurs pas à retomber sur un autre chemin qui, en diagonale, vous incite à le suivre et à cesser là votre escapade. Or, c'est en quittant la souplesse des sentiers, habiles à escamoter les obstacles et en allant au contraire droit devant soi qu'on mesure combien cette forêt est plus vallonnée qu'il n'y paraît. Si l'on s'efforce de garder la mer à main gauche, à intervalles réguliers on rencontre des sortes de combes, perpendiculaires au rivage : sans doute les lits d'anciens cours d'eau. Au-delà d'une légère pente, certaines s'ouvrent à l'abrupt, profondes, et même peu rassurantes lorsqu'on les surplombe. Après les avoir sondées du regard, et pour en atteindre le creux, de leurs bords il faut se jeter dans le vide, passer en force entre les griffes des fourrés, ne pas craindre la gifle des buissons qui en entravent l'accès, ni le sable de leur pente qui vous bourre les chaussures...

Là, en leur pénombre soudaine, tout devient obscur, comme en attente de quelque chose qui ne vient pas, presque angoissant. Le silence y est absolu. Plus aucune rumeur ne vous parvient : ni celle des vagues qui grondaient tout à l'heure contre la grève, ni celle des rares voitures qui passent au loin, sur la route qui rejoint la lagune. À peine la brise, en longues coulées, fait-elle frissonner la cime des eucalyptus, dont les troncs en cet endroit sont devenus cylindriques et gigantesques. Des champignons blancs en couvrent les souches de stries parallèles. Un cresson aux feuilles vernissées tapisse le sol fangeux, constitué de végétaux en décomposition, de plantes grasses et molles, d'herbes qui ressemblent à des algues. On se dit que l'eau en dessous ne doit pas être très loin. Du temps où il leur arrivait d'être surpris en train de traverser la petite route à la nuit tombée, c'est dans ces taillis que les sangliers devaient y avoir établi leur repaire. Ce sont peut-être eux qui, de leurs trottinements massifs, ont contribué à frayer tous ces chemins alors que, le jour, ils demeurent tapis, invisibles, dans quelque recoin secret où je crains toujours, en m'aventurant au cœur de ces vallées sauvages, de les y débusquer. Cela ne m'est cependant jamais arrivé… Tout laisse accroire qu'ils ont disparu depuis quelques années, à jamais chassés par le va-et-vient des camions, toute cette agitation qu'occasionnèrent les travaux d'agrandissement de la route. Tout au plus ai-je surpris plusieurs fois, au détour d'un bosquet, les silhouettes dédaigneuses d'un couple de dromadaires occupés à brouter les feuilles des arbres à leur portée. Impassibles, leurs pattes de devant entravées par une corde en plastique bleu, ils me surveillent du coin de l'œil d'un air méfiant. Leurs lèvres lippues sont animées d'un mouvement hélicoïdal et sans fin. Leur présence a au moins le mérite de signifier la proximité d'un gardien, qui doit bien de temps à autre s'assurer que ses animaux sont toujours à l'attache. Parfois aussi, à mon approche, quelques chèvres noires détalent entre les fourrés.

Je sais pourtant bien que quantité de gens circulent sur ces sentiers, à en juger par les inévitables détritus qu'ils abandonnent en cours de route : paquets de cigarettes, feuilles de journaux froissés, bouteilles et sacs en plastique, qui sont la plaie de notre époque… Le vent à lui seul ne peut les avoir apportés jusqu'ici. À plusieurs reprises d'ailleurs, car les sons portent, il m'a bien semblé entendre les éclats de voix de gens qui s'éloignaient au détour d'un taillis ou, plus étonnante encore, la résonance de talons, à l'allure hâtive, frappant de manière assourdie l'épaisseur du sable. Une fois, j'ai même cru apercevoir la tache blanche et incertaine d'une silhouette, mais trop tard, déjà en train de disparaître entre les troncs…

Pour faire du thé, des ouvriers ont pris le risque d'allumer un feu, dont il subsiste des restes de braises, des cendres blanches et volatiles au centre d'un cercle de grosses pierres. Une fois en passant, et sans qu'ils m'aient vu, je les ai surpris, assis en cercle, chacun adossé contre un tronc, à proximité de l'un de ces chemins de terre qui coupent la forêt en droite ligne jusqu'à la mer. Ils construisent des regards en béton, destinés à réunir d'énormes tubes de caoutchouc noir, ce qui ne laisse rien présager de bon. À l'évidence, il se prépare quelque chose, dont cette forêt va pâtir. À d'autres moments, il m'a aussi paru entendre le grondement d'un bulldozer ou d'une pelle mécanique en train d'ouvrir quelque part une tranchée. Je me doute que cette forêt, sans défense, ne peut qu'exciter la convoitise. Sa sauvagerie et son semi-abandon pour l'instant ne rapportent rien à personne. Ne peut-on laisser en paix ce qui est en friche ? Faut-il aménager à tour de bras, absolument tirer profit de tout ? Nombreux sont ceux qui se rappellent son charme d'autrefois quand, il n'y a encore que quelques années, elle était traversée d'une minuscule route goudronnée, parsemée de nids de poule, aux bas-côtés effrangés de gravillons. Hélas, les exigences du tourisme de masse et son élargissement en une quatre voies, avec terre-plein central éclairé de lampadaires, lui ont déjà, et de façon irrémédiable, porté un coup fatal. D'innombrables constructions d'hôtels et de villas sur son pourtour en ont peu à peu restreint la superficie. L'a ensuite plus largement amputée l'aménagement de vastes parkings, point de départ de ce qu'il est convenu d'appeler la « zone touristique » de Gammarth.

En fait, c'est parce que je sais que cette forêt est vulnérable et n'a pas de pire ennemi que l'homme que je n'ai guère envie de croiser quiconque, que je ne provoque pas non plus les rencontres ; pour cela aussi que j'évite autant que possible les abords de l'étang où coassent timidement les grenouilles. En contrebas de la petite falaise au bord de laquelle je m'arrête, il m'offre son court plan d'eau saumâtre, aux berges éboulées et fluctuantes, envahies par les roseaux. À mesure que le niveau baisse, de la boue celles-ci laissent émerger des cageots en plastique jaune, des pneus crevés, et même, à moitié engloutie, la porte cassée d'un réfrigérateur. Le sentier qui y conduit se transforme à cet endroit en un large chemin de terre. Par sa pente la plus douce, il est labouré de traces de pattes, là où les animaux vont boire. Au cœur de l'été, il le traverse de part en part, et l'on peut se rendre à pied sec de l'autre côté, jusqu'aux premières maisons du village. Aux cris égosillés des coqs et au chant du muezzin, nettement distincts quand le vent tourne au sud, je devine ce dernier, caché derrière un rideau d'arbres, sans que jamais je n'aie éprouvé l'envie de m'y aventurer.

C'est en pénétrant chaque matin dans la forêt de Gammarth, et en suivant le cours de ses sentiers elliptiques, que je laisse vagabonder mon imagination. En marchant, je divague, tâtonne à la recherche d'une idée, d'une image, ou même d'une simple phrase, qui ferait déclic. J'attends que me vienne à l'esprit cet assemblage précis de rythmes et d'assonances, par quoi s'amorce ne serait-ce que le début d'une première phrase qui me délivrerait enfin de cette attente, me ferait me remettre au travail pour de bon...

J'avais au départ imaginé que ces interminables promenades, en me forçant à l'activité physique et en tenant mon attention en éveil, stimuleraient mon inspiration. Mais qui me dit que je ne fais pas fausse route, que les multiples détails qui la sollicitent n'ont pas plutôt pour effet de la distraire ? Et que je perds mon temps ? Que je ferais mieux de m'installer à mon bureau, ou de rester à lire dans le fauteuil en rotin du jardin ? Cette forêt, à la fois impalpable et dense, par son côté diaphane et irréel, par sa sécheresse même, ne serait-elle pas plutôt la métaphore de mon propre paysage mental ? J'errerais au hasard dans la forêt de Gammarth un peu comme si j'errais à l'intérieur de moi-même. Je m'aventurerais dans ces végétations bruissantes et compliquées, tantôt clémentes et tantôt hostiles, à la recherche de quelque chose que je ne connais pas, et dont j'attends, comme ces couleurs dont j'avais l'autre fois surpris l'étagement sur la mer, qu'il me plonge dans la stupeur ou dans l'admiration. Ce qui fait que, à chaque pas, je crains que rien n'advienne et que j'en sorte, comme les jours qui ont précédé, l'esprit vide, l'âme en déshérence. Ainsi suis-je amené à explorer des zones qu'il me semble avoir foulées comme en rêve, et d'autres qui ne m'évoquent rien de ce que je suis et de ce à quoi j'aspire. Je parcours cette forêt d'ouest en est, d'une écriture incertaine, à peine capable de désigner d'un terme approprié les végétations profuses que je côtoie. En effet, je suis bien obligé d'admettre que trop de noms m'échappent. Comme si j'arpentais de gauche à droite un territoire à la fois étrange et familier, et entretenais mon désarroi à même une feuille de papier froissé, où la ligne bleue de la mer qui la borde par un côté serait à la fois la limite et la marge.

La forêt de Gammarth dessine une sorte de paysage littéraire, tantôt énigmatique et confus, tantôt aveuglant de lumière. Il se partage entre de grands arbres vigoureux, œuvres du passé bien ordonnées au centre de vastes clairières, qui ont connu leur plein épanouissement, et de ténébreux sous-bois, envahis par les ronces, difficiles à élaguer : articles critiques, nouvelles, textes inachevés, perpétuels brouillons que je ne parviens pas à mettre au propre ou à articuler en recueils ; sans compter les troncs abattus en travers du chemin, à peine arrivés à maturité que déjà pourris, victimes d'insectes ou de quelque maladie interne, qui les rongent de l'intérieur, en empoisonnent ou en tarissent la sève, et la réduisent en poudre.

Et je m'enfonce à travers cette forêt de la même façon que j'épouse les méandres broussailleux et craquants de la syntaxe... Tantôt ça résiste et s'effrite, comme si la formulation se faisait rétive, ambiguë, hésitante, et d'emblée mal venue. Et, tantôt, le chemin en est facile, bien tracé, et j'ai toutes les raisons de croire que je vais toucher au but. Sans avoir à me relire, je n'ai qu'à me laisser guider par les déclinaisons du terrain, en suivant des voies aisées à emprunter. Je me contente de dérouler le fil de ce que me dicte mon imagination, comme si ce que j'avais à mettre au jour était déjà écrit depuis longtemps, mais en une autre région de moi-même, éloignée, où je n'ai guère pour habitude de circuler. N'ayant jusqu'ici jamais réussi à découvrir le chemin qui y conduit, il est sûr que, lorsque j'y pénétrerai, il me faudra prendre des repères, comme on déchiffre une langue inconnue, puis en défricher l'espace à grands coups de ratures, ainsi qu'on met de l'ordre dans un brouillon.

Dans ce dernier cas, il arrive que tant de facilité se retourne contre moi, ne débouche sur rien, ou sur des banalités – justement ce que je déteste ! –, que je ne découvre que les abords de zones d'habitation, des jardins cultivés, des villas en construction, des dépôts d'ordures grillagés de clôtures. Je suis alors contraint de rebrousser chemin. L'humeur massacrante, je prends le parti de revenir chez moi, d'un pas rapide par la route.

M'insurgeant contre la facilité des sentiers balisés, je déploie des efforts démesurés pour m'en écarter à tout prix et passer au travers des obstacles. Comme je reste sec, je tente de forcer les choses : je prends alors au plus court vers nulle part à travers le sous-bois. Je m'obstine à passer outre. À quoi est-ce que je peux m'attendre ? À éprouver ce léger pincement au cœur que l'on ressent lorsqu'on s'avise tout à coup qu'on a quitté la route et qu'on est cette fois bel et bien perdu... Seul subsiste le sentiment qu'on ne pourra trouver d'issue qu'en avançant au hasard, l'œil et l'oreille aux aguets, flairant la piste dans l'espoir de découvrir d'un moment à l'autre, tout au bout, enfin à la lisière de la forêt, cette minuscule tache de ciel clair qui fait battre le cœur, cette lumière particulière entre les arbres, cet agencement de mots qui sert de repère et de guide, par quoi se signalent la première phrase et, du même coup, l'ensemble du livre à naître.

Gammarth, 12 avril 2004 / 12 janvier 2005

Après avoir enseigné à l'étranger et travaillé à Paris dans l'édition, Alain Nadaud a dirigé le Bureau du livre de l'Ambassade de France en Tunisie, où il est revenu vivre pour se consacrer à l'écriture. Auteur d'une vingtaine d'ouvrages (romans, nouvelles, essais), il a publié en 2004 Les Années mortes *(Grasset) et* Aux Portes des Enfers *(Actes Sud).*

TABLE

Composition : Clairefontaine
Achevé d'imprimer en juillet 2005
sur les presses de Finzi Usines Graphiques
Dépôt légal : troisième trimestre 2005
Registre des travaux N° 299

Imprimé en Tunisie